A-Z CANNOC[K] RUGELE[Y]

CONTEN[TS]

Key to Map Pages	2-3
Map Pages	4-31
Index to Streets, Towns, Villages and selected Places of Interest	32-40

REFERENCE

Motorway M42	
Under Construction	
A Road	A34
Under Construction	
Proposed	
B Road	B4154
Dual Carriageway	
One-way Street Traffic flow on A roads is indicated by a heavy line on the driver's left.	→
Restricted Access	
Pedestrianized Road	
Track & Footpath	
Railway	Level Crossing, Station, Tunnel
Private Railway	Station
Built-up Area	FARM CL.
Local Authority Boundary	
Postcode Boundary	
Map Continuation	4
Car Park Selected	P
Church or Chapel	†
Fire Station	■
Hospital	H
House Numbers A & B Roads only	22 48
Information Centre	i
National Grid Reference	400
Police Station	▲
Post Office	★
Toilet	
with facilities for the Disabled	
Educational Establishment	
Hospital or Health Centre	
Industrial Building	
Leisure or Recreational Facility	
Place of Interest	
Public Building	
Shopping Centre or Market	
Other Selected Buildings	

1:15,840 **Scale** **4 inches (10.16 cm) to 1 mile**
6.31cm to 1kilometre

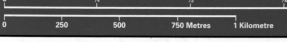

Copyright of Geographers' A-Z Map Company Limited

Head Office :
Fairfield Road, Borough Green, Sevenoaks, Kent TN15 8PP
Tel: 01732 781000 (General Enquiries & Trade Sales)
Showrooms :
44 Gray's Inn Road, London WC1X 8HX
Tel: 020 7440 9500 (Retail Sales)
www.a-zmaps.co.uk

Ordnance Survey® This product includes mapping data licensed from Ordnance Survey® with the permission of The Controller of Her Majesty's Stationery Office.
© Crown Copyright 2002. Licence number 100017302

EDITION 1 2000 EDITION 1A (part revision) 2002
Copyright © Geographers' A-Z Map Co. Ltd. 2002

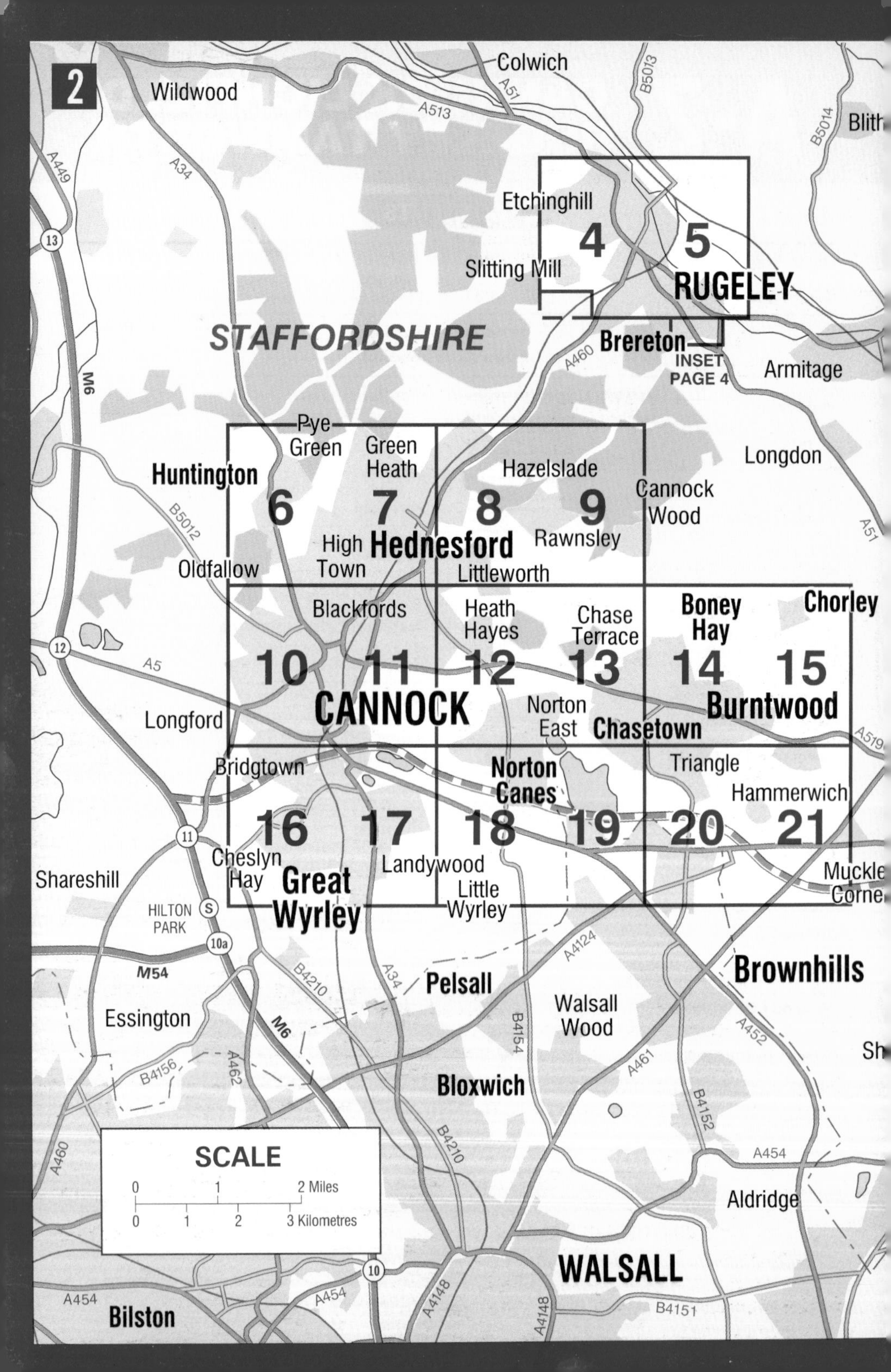

2

Wildwood

Colwich

A513

A51

B5003

B5014

Blith

A449

13

A34

Etchinghill

4

5

Slitting Mill

RUGELEY

A460

Brereton

INSET
PAGE 4

Armitage

STAFFORDSHIRE

Longdon

A51

Pye
Green

Green
Heath

Hazelslade

Huntington

B5012

6

7

8

9

Cannock
Wood

High
Town

Hednesford

Rawnsley

Oldfallow

Littleworth

A5

Blackfords

Heath
Hayes

Chase
Terrace

**Boney
Hay**

Chorley

12

10

11

12

13

14

15

Longford

CANNOCK

Norton
East

Chasetown

Burntwood

A519

Bridgtown

**Norton
Canes**

Triangle

11

16

17

18

19

20

21

Hammerwich

Shareshill

Cheslyn
Hay

Landywood

Muckle
Corne

HILTON
PARK

S

**Great
Wyrley**

Little
Wyrley

10a

Brownhills

M54

B4210

A34

A4124

A452

Sh

Essington

M6

Pelsall

A461

B4156

A462

Walsall
Wood

B4154

B4152

Bloxwich

A454

B4210

A454

A460

10

Aldridge

SCALE

0   1   2 Miles

0   1   2   3 Kilometres

A454

A454

A4148

A4148

WALSALL

B4151

Bilston

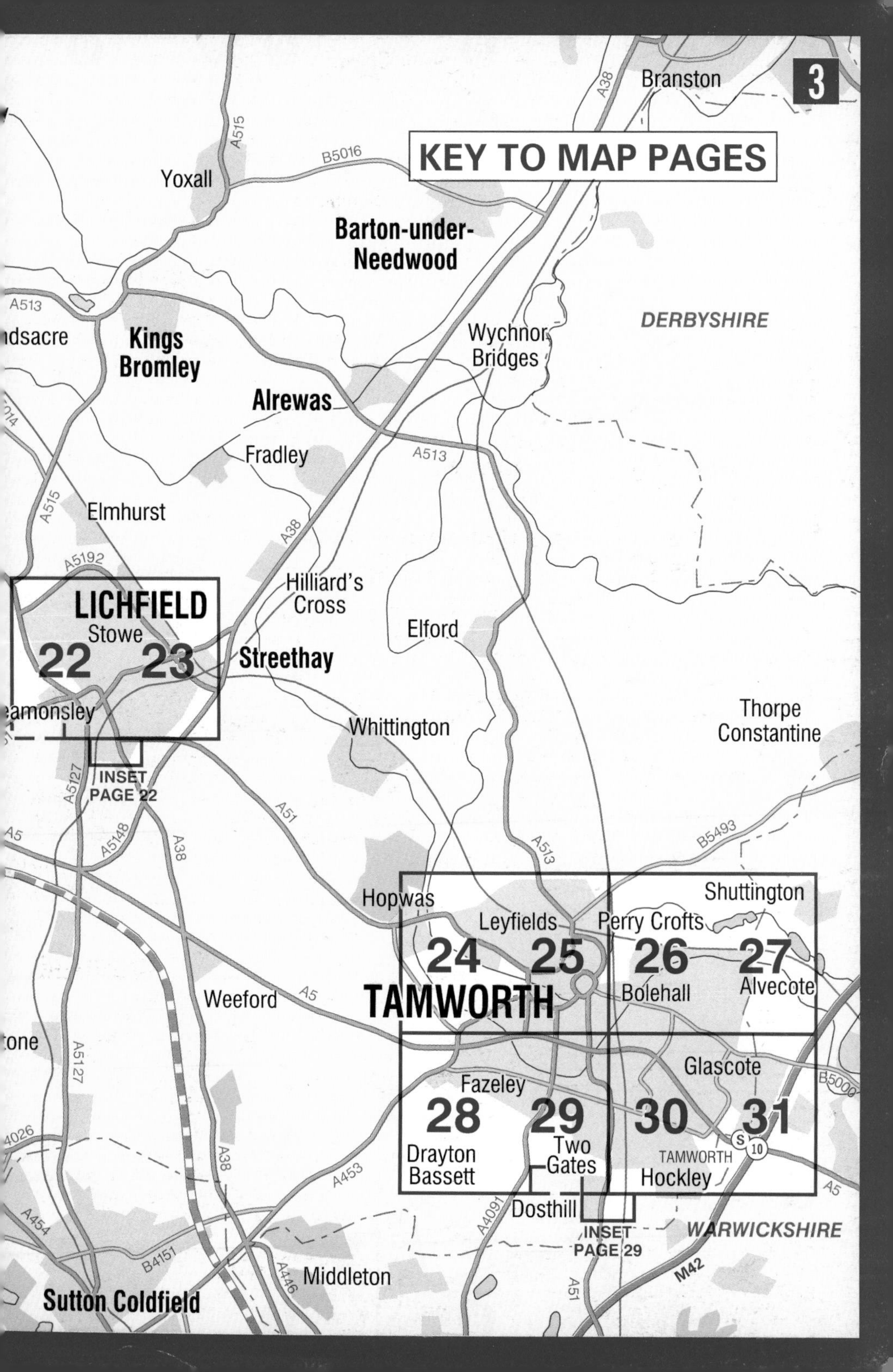

3

Branston

A38

B5016

Yoxall

A515

KEY TO MAP PAGES

Barton-under-Needwood

DERBYSHIRE

Wychnor Bridges

A513

ndsacre

A513

Kings Bromley

Alrewas

Fradley

A38

Elmhurst

A515

A5192

Hilliard's Cross

Elford

A5127

LICHFIELD

Stowe

22 **23**

Streethay

eamonsley

Whittington

Thorpe Constantine

A5148

A38

INSET PAGE 22

A51

A5

B5493

A513

Hopwas

Shuttington

Leyfields

Perry Crofts

24 **25** **26** **27**

Weeford

A5

TAMWORTH

Bolehall

Alvecote

tone

A5127

Glascote

B5000

Fazeley

28 **29** **30** **31**

A4026

Drayton Bassett

Two Gates

TAMWORTH

S 10

A38

A453

Hockley

A5

A454

A4091

Dosthill

INSET PAGE 29

WARWICKSHIRE

B4151

A446

Middleton

A51

M42

Sutton Coldfield

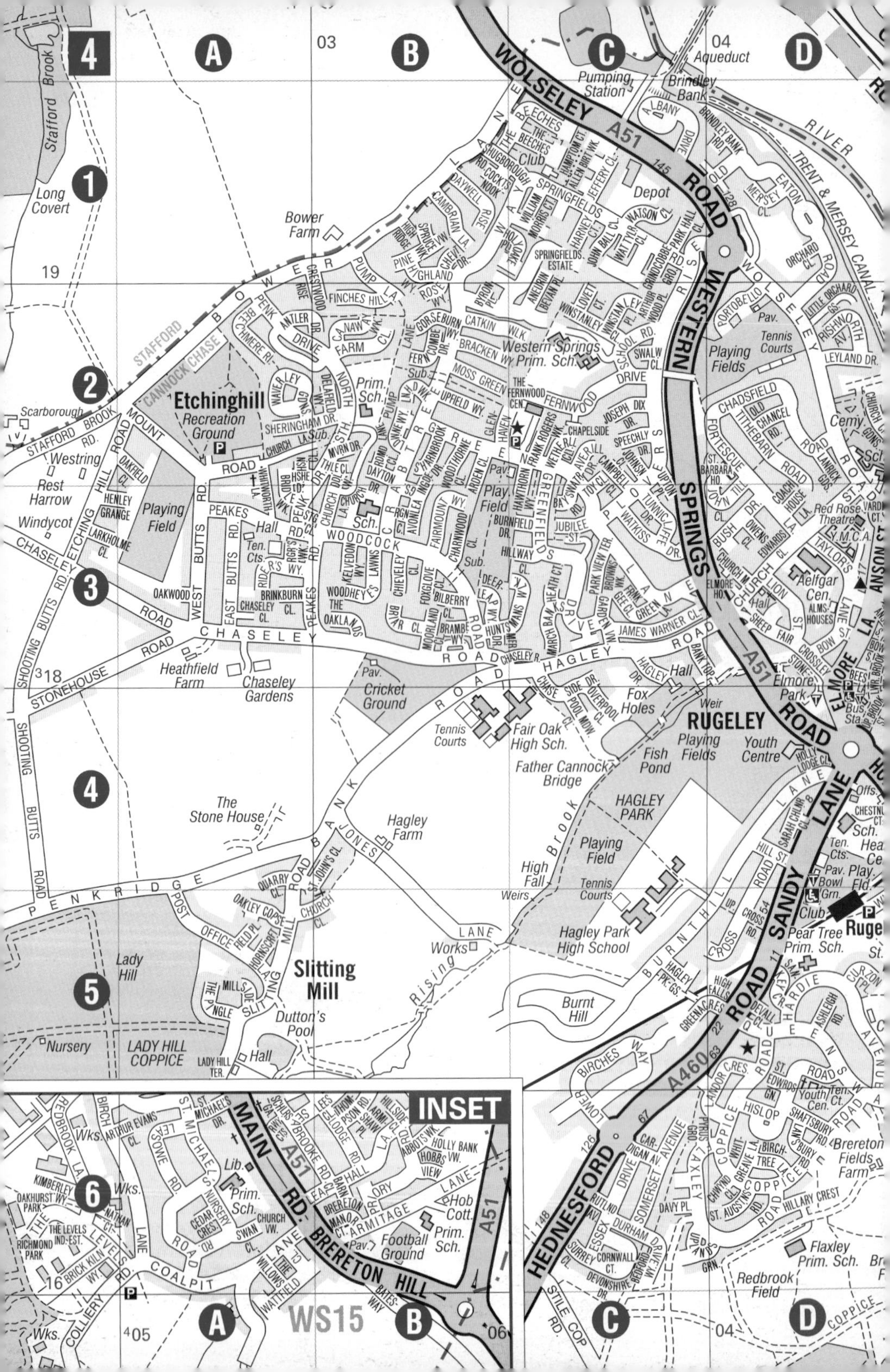

4
A
B
C
D
03
04
19
18
1
2
3
4
5
6
Aqueduct
Pumping Station
Brindley Bank
WOLSELEY ROAD
A51
RIVER TRENT
TRENT & MERSEY CANAL
Depot
Club
Bower Farm
Long Covert
Stafford Brook
Scarborough
Westring
Rest Harrow
Windycot
Etchinghill
Recreation Ground
Playing Field
Prim. Sch.
Sch.
Western Springs Prim. Sch.
Springfields Estate
WESTERN SPRINGS ROAD
Playing Fields
Tennis Courts
Pav.
Cemy.
Red Rose Theatre
Y.M.C.A.
Aelfgar Cen.
Alms Houses
Elmore Park
Bus Sta.
RUGELEY
Youth Centre
Weir
Fish Pond
Fox Holes
Hall
Fair Oak High Sch.
Father Cannock Bridge
HAGLEY PARK
Hagley Park High School
Cricket Ground
Heathfield Farm
Chaseley Gardens
The Stone House
Hagley Farm
High Fall
Weirs
Works
Burnt Hill
Slitting Mill
Dutton's Pool
Lady Hill
LADY HILL COPPICE
Nursery
Rising Brook
CHASELEY ROAD
HAGLEY ROAD
STONEHOUSE ROAD
PENKRIDGE BANK ROAD
SHOOTING BUTTS ROAD
SANDY LANE
A460
HEDNESFORD ROAD
Pear Tree Prim. Sch.
Flaxley Prim. Sch.
Redbrook Field
Brereton Fields Farm
Youth Cen.
Bowl Grn.
INSET
MAIN RD.
BRERETON HILL
Lib.
Prim. Sch.
Football Ground
Hob Cott.
COALPIT LANE
WS15
405
06

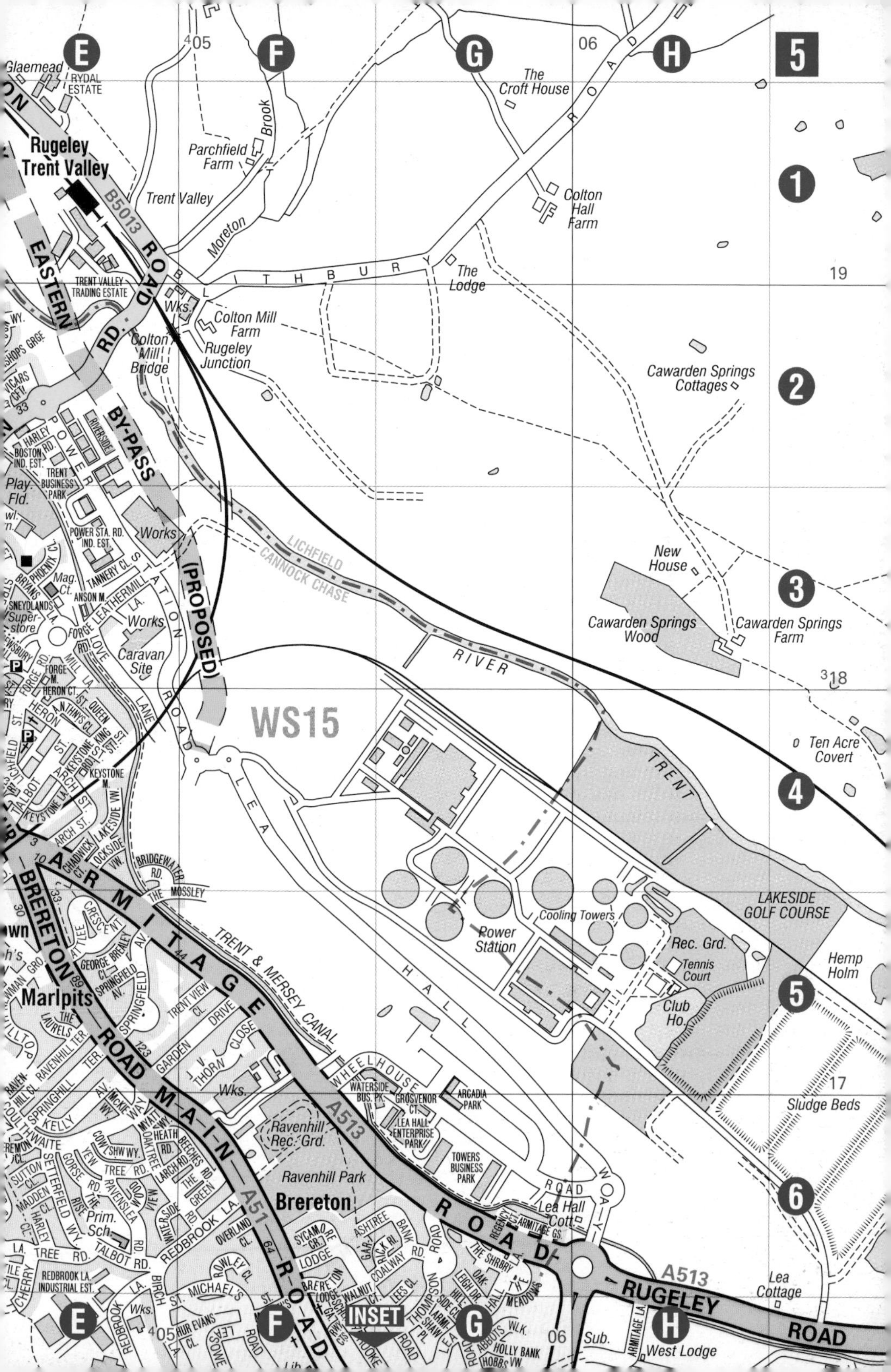
E
F
G
H
405
06
Glaemead
RYDAL ESTATE
Rugeley Trent Valley
B5013
ROAD
Trent Valley
Parchfield Farm
Brook
Moreton
The Croft House
Colton Hall Farm
The Lodge
LITHBURY
EASTERN
RD.
BY-PASS
(PROPOSED)
TRENT VALLEY TRADING ESTATE
Wks.
Colton Mill Farm
Rugeley Junction
Colton Mill Bridge
Cawarden Springs Cottages
POWER STATION ROAD
TRENT BUSINESS PARK
BOSTON IND. EST.
Play. Fld.
Works
POWER STA. RD. IND. EST.
TANNERY CL.
LICHFIELD
CANNOCK CHASE
New House
Cawarden Springs Wood
Cawarden Springs Farm
Super-store
Caravan Site
RIVER
TRENT
WS15
Ten Acre Covert
LEA HALL LANE
KEYSTONE M.
ARMITAGE ROAD
BRERETON
MAIN ROAD
A51
A513
Cooling Towers
Power Station
Rec. Grd.
Tennis Court
Club Ho.
LAKESIDE GOLF COURSE
Hemp Holm
TRENT & MERSEY CANAL
Marlpits
Sludge Beds
WATERSIDE BUS. PK.
ARCADIA PARK
GROSVENOR CT.
LEA HALL ENTERPRISE PARK
TOWERS BUSINESS PARK
Ravenhill Rec. Grd.
Ravenhill Park
Brereton
Lea Hall Cott.
REDBROOK LA. INDUSTRIAL EST.
RUGELEY ROAD
Lea Cottage
West Lodge
Sub.
INSET
1
2
3
4
5
6
19
318
17

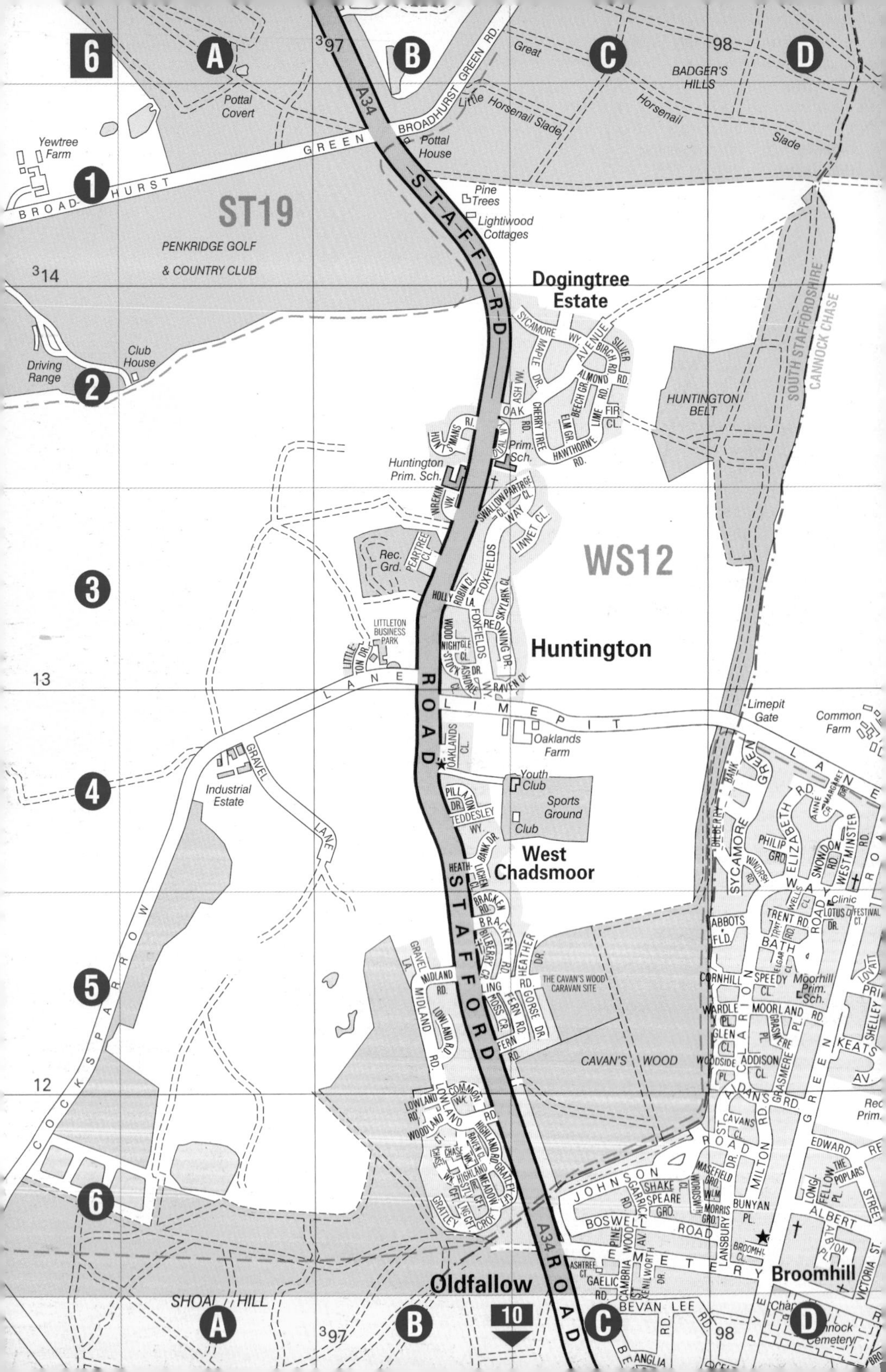
6
A
B
C
D
Pottal Covert
Yewtree Farm
BROADHURST GREEN
BROADHURST GREEN RD.
Pottal House
Great
Little Horsenail Slade
BADGER'S HILLS
Horsenail
Slade
ST19
PENKRIDGE GOLF & COUNTRY CLUB
Pine Trees
Lightiwood Cottages
STAFFORD
A34
Dogingtree Estate
SYCAMORE WY.
MAPLE DR.
AVENUE
BIRCH RD.
SILVER
ALMOND RD.
ASH VW.
OAK RD.
CHERRY TREE
BEECH GR.
ELM GR.
LIME RD.
FIR CL.
HAWTHORNE RD.
HUNTSMANS RI.
OVAL WY.
Prim. Sch.
Huntington Prim. Sch.
Club House
Driving Range
HUNTINGTON BELT
SOUTH STAFFORDSHIRE
CANNOCK CHASE
WREKIN VW.
SWALLOW CL.
PARTRIDGE CL.
WAY
LINNET CL.
Rec. Grd.
PEARTREE CL.
FOXFIELDS
WS12
HOLLY LA.
ROBIN CL.
SKYLARK CL.
LITTLETON BUSINESS PARK
LITTLETON DR.
WOODSTOCK DR.
NIGHTINGALE CL.
FOXFIELDS
REDWING DR.
ASHDALE WY.
RAVEN CL.
Huntington
LANE
ROAD
LIMEPIT
Limepit Gate
Common Farm
OAKLANDS CL.
Oaklands Farm
GRAVEL LANE
Industrial Estate
Youth Club
Sports Ground
Club
PILLATON DR.
TEDDESLEY WY.
BANK DR.
West Chadsmoor
HEATH CL.
LICHEN
BRACKEN RD.
BRACKEN RD.
BILBERRY CR.
HEATHER DR.
GRAVEL LA.
MIDLAND RD.
MIDLAND RD.
LING RD.
MOSS CR.
FERN RD.
GORSE DR.
FERN RD.
THE CAVAN'S WOOD CARAVAN SITE
CAVAN'S WOOD
LOWLAND RD.
COCKSPARROW
BANK
GREEN
DILBERRY
SYCAMORE
WINDRUSH RD.
PHILIP GRO.
ELIZABETH RD.
ANNE CR.
MARGARET DR.
SNOWDON RD.
WESTMINSTER RD.
WAY
Clinic
LOTUS DR.
FESTIVAL CT.
WELLS CL.
TRENT RD
ABBOTS FLD.
BATH ROAD
ELGAR CL.
CORNHILL
SPEEDY CL.
Moorhill Prim. Sch.
WARDLE PL.
MOORLAND RD.
GLEN CL.
GRASMERE PL.
WOODSIDE PL.
ADDISON CL.
GRASMERE
GREEN
KEATS AV.
SHELLEY
ST. AIDANS RD.
CAVANS CL.
Rec Prim.
EDWARD
COMMON WK.
LOWLAND RD.
WOODLAND
HIGHLAND RD.
RAVEN CL.
CHASE WY.
HIGHLAND
MEADOW CFT.
GRATLEY CFT.
LING CFT.
CROFT
GRATLEY
JOHNSON ROAD
GARRICK RD.
SHAKESPEARE GRO.
MASEFIELD GRO.
WORDSWORTH
MORRIS GRO.
MILTON
BUNYAN PL.
LONGFELLOW PL.
THE POPLARS
STREET
BOSWELL ROAD
ALBERT
ALBION PL.
PINE
WOOD AV.
LANSBURY
BROOMHILL CL.
CEMETERY
ASHTREE CT
GAELIC RD
CAMBRIA ST.
KENILWORTH DR.
Broomhill
VICTORIA ST.
Oldfallow
SHOAL HILL
BEVAN LEE RD.
PYE
Cannock Cemetery
10
1
2
3
4
5
6
397
98
314
13
12
ANGLIA

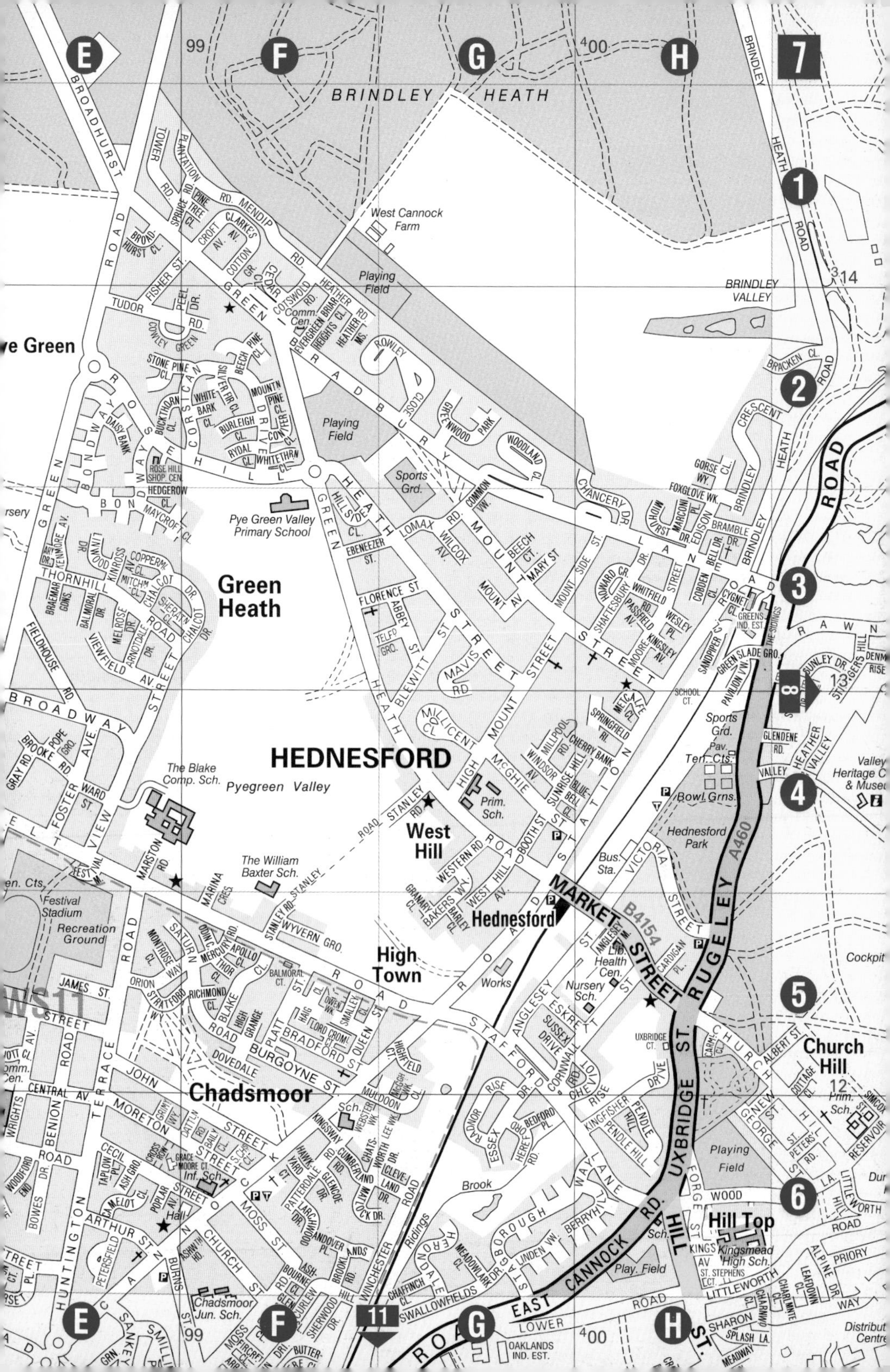
BRINDLEY HEATH
West Cannock Farm
Playing Field
BRINDLEY VALLEY
Pye Green
Green Heath
Pye Green Valley Primary School
Sports Grd.
HEDNESFORD
The Blake Comp. Sch.
Pyegreen Valley
West Hill
The William Baxter Sch.
Festival Stadium
Recreation Ground
High Town
Hednesford
Hednesford Park
Bowl. Grns.
Valley Heritage C & Museu
Cockpit
Church Hill
Chadsmoor
Hill Top
Kingsmead High Sch.
Chadsmoor Jun. Sch.
OAKLANDS IND. EST.
Distribut Centre
WS11
RUGELEY ROAD
A460
B4154
MARKET STREET
UXBRIDGE ST.
EAST CANNOCK RD.
STAFFORD ROAD
CANNOCK ROAD
LOWER ROAD
BRADBURY LANE
STATION ROAD
HEATH HILL
BROADWAY
BROADHURST GREEN ROAD
BRINDLEY HEATH ROAD
CHURCH HILL
LITTLEWORTH ROAD
MORETON STREET
JOHN STREET
HUNTINGTON TERRACE

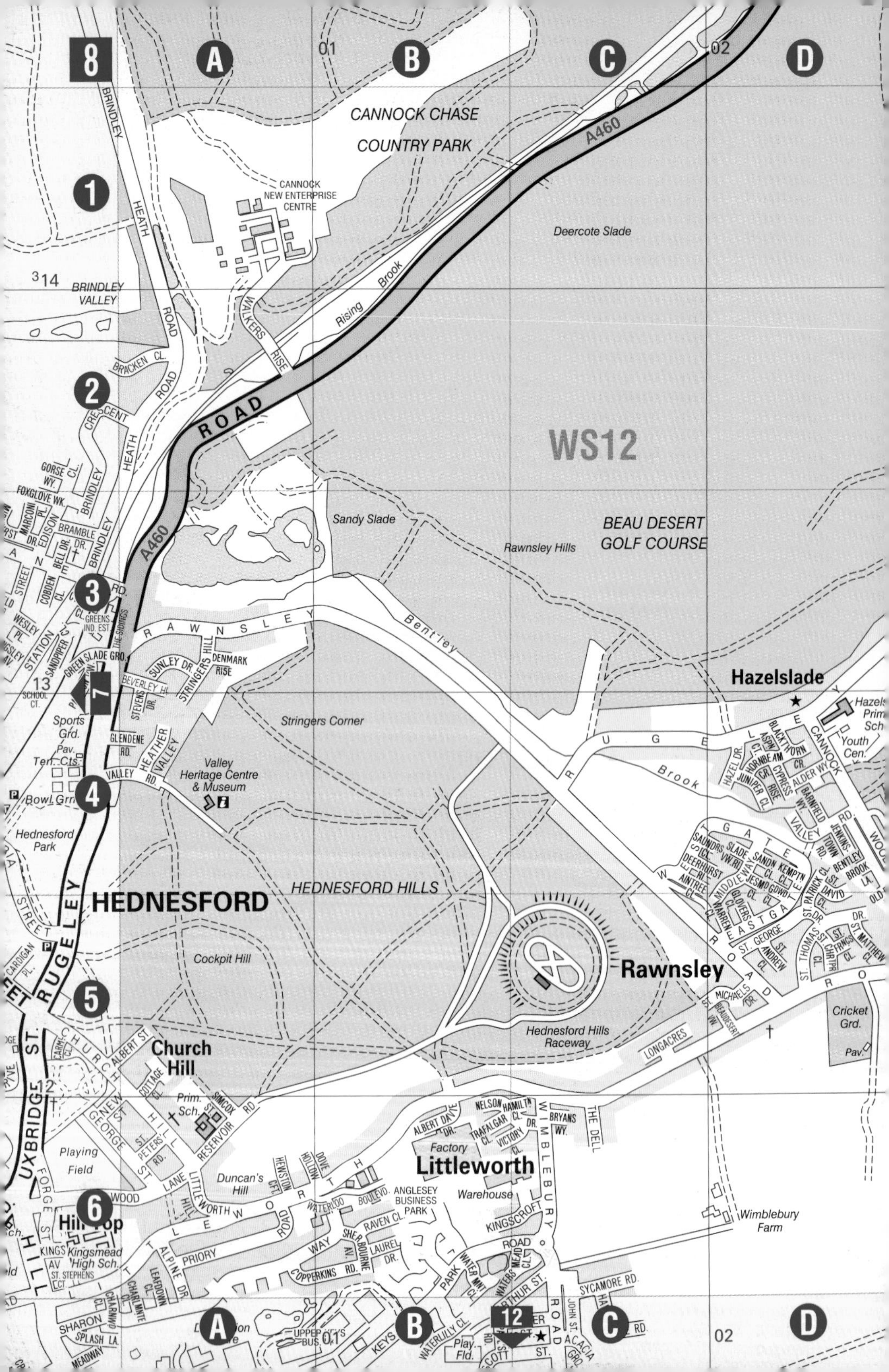
CANNOCK CHASE
COUNTRY PARK
CANNOCK NEW ENTERPRISE CENTRE
Deercote Slade
A460
BRINDLEY VALLEY
Rising Brook
WALKERS RISE
HEATH ROAD
ROAD
WS12
Sandy Slade
BEAU DESERT GOLF COURSE
Rawnsley Hills
RAWNSLEY
Bentley
Hazelslade
Stringers Corner
Valley Heritage Centre & Museum
HEDNESFORD
HEDNESFORD HILLS
Hednesford Park
Cockpit Hill
Rawnsley
Hednesford Hills Raceway
Church Hill
Playing Field
Duncan's Hill
Littleworth
Factory
Warehouse
ANGLESEY BUSINESS PARK
Hill Top
Kingsmead High Sch.
Wimblebury Farm
Cricket Grd.
RUGELEY
UXBRIDGE ST.

7
12

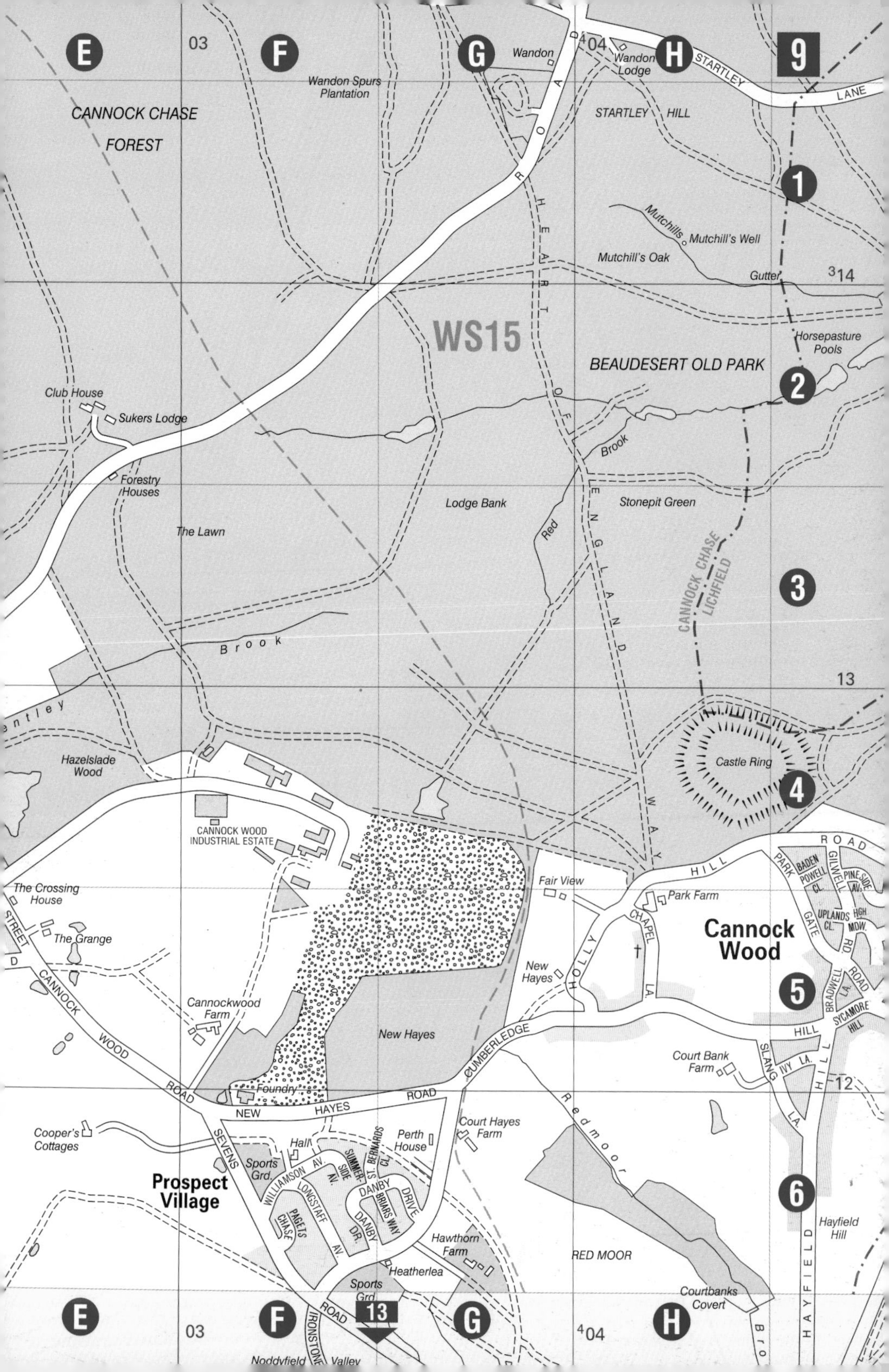
E
03
F
G
Wandon
404
Wandon Lodge
H
9
STARTLEY
LANE
Wandon Spurs Plantation
CANNOCK CHASE
FOREST
STARTLEY HILL
ROAD
1
Mutchills
Mutchill's Well
HEART
Mutchill's Oak
Gutter
314
WS15
Horsepasture Pools
BEAUDESERT OLD PARK
2
Club House
Sukers Lodge
OF
Brook
Forestry Houses
Lodge Bank
ENGLAND
Stonepit Green
The Lawn
Red
CANNOCK CHASE
LICHFIELD
3
Brook
WAY
13
entley
Castle Ring
Hazelslade Wood
4
CANNOCK WOOD INDUSTRIAL ESTATE
ROAD
PARK
BADEN POWELL CL.
GILWELL
PINE SIDE AV.
HILL
Fair View
Park Farm
The Crossing House
STREET
CHAPEL
Cannock Wood
UPLANDS CL.
HGH MDW.
GATE RD.
The Grange
HOLLY
LA.
New Hayes
ROAD
BRADWELL LA.
CANNOCK
5
Cannockwood Farm
SYCAMORE HILL
HILL
WOOD
New Hayes
CUMBERLEDGE
Court Bank Farm
SLANG
IVY LA.
HILL
12
ROAD
Foundry
ROAD
Redmoor
NEW HAYES
LA.
Cooper's Cottages
SEVENS
Hall
Court Hayes Farm
Perth House
ST. BERNARDS CL.
SUMMERSIDE AV.
Sports Grd.
WILLIAMSON AV.
Prospect Village
LONGSTAFF AV.
DANBY DRIVE
BRIARS WAY
DANBY DR.
6
PAGETS CHASE
Hawthorn Farm
Hayfield Hill
RED MOOR
HAYFIELD
Heatherlea
Sports Grd
Courtbanks Covert
E
03
F
ROAD
IRONSTONE
13
G
404
H
Bro
Noddyfield Valley

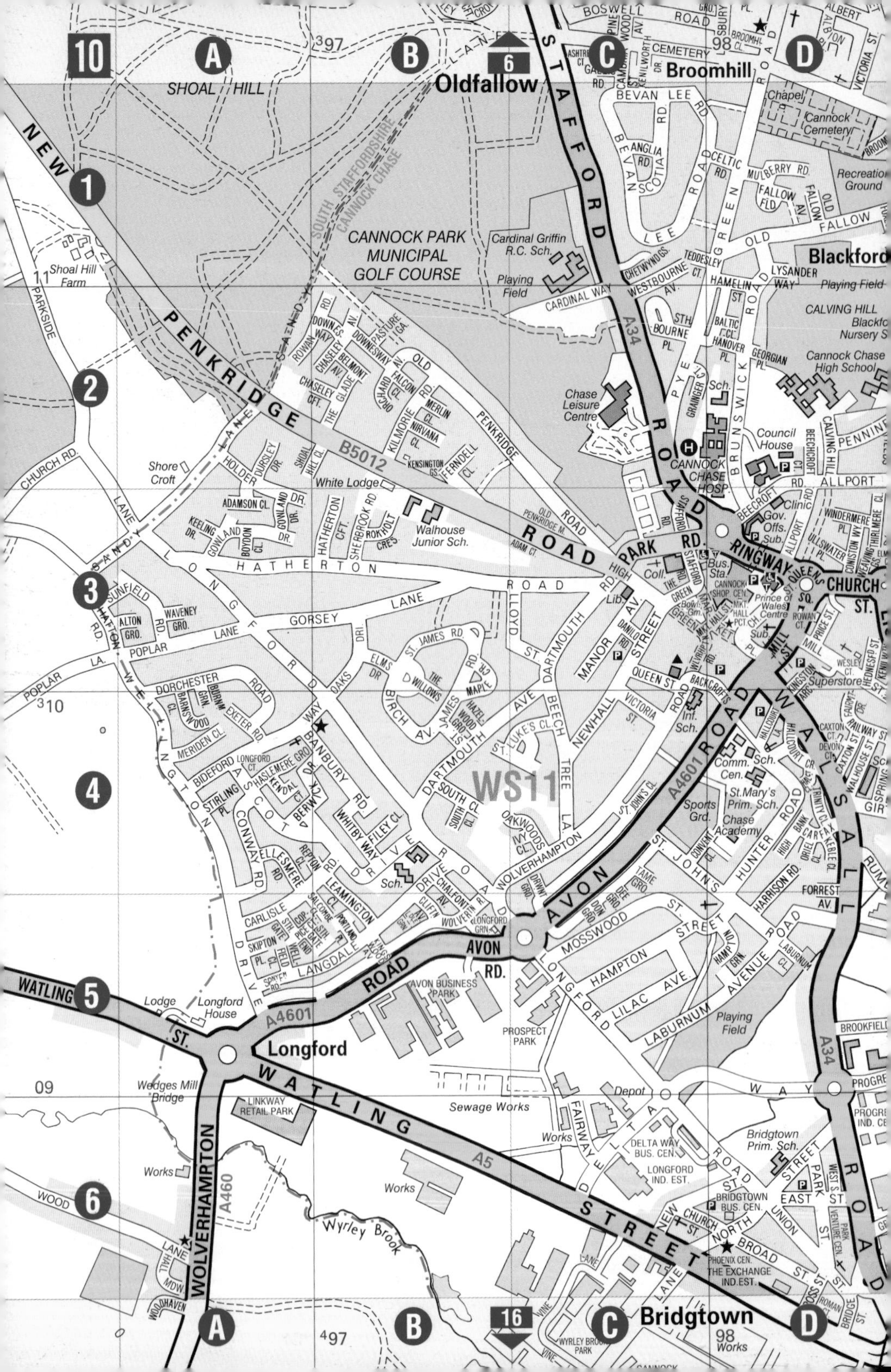

Oldfallow
Broomhill
Shoal Hill
Cannock Park Municipal Golf Course
Cardinal Griffin R.C. Sch.
Blackford
Calving Hill
Cannock Chase High School
Chase Leisure Centre
Council House
Cannock Chase Hosp.
Walhouse Junior Sch.
White Lodge
Shore Croft
Shoal Hill Farm
Cannock Cemetery
Recreation Ground
WS11
St. Mary's Prim. Sch.
Chase Academy
Sports Grd.
Prince of Wales Centre
Cannock Shop. Cen.
Bus Sta.
Avon Business Park
Prospect Park
Longford
Longford House
Lodge
Wedges Mill Bridge
Linkway Retail Park
Sewage Works
Depot
Delta Way Bus. Cen.
Longford Ind. Est.
Bridgtown Prim. Sch.
Bridgtown Bus. Cen.
Phoenix Cen.
The Exchange Ind. Est.
Bridgtown
Wyrley Brook
Wyrley Brook Park
Playing Field
Superstore
Stafford Road
Penkridge Road
B5012
A34
A4601
A460
A5
Watling Street
Wolverhampton Road
Walsall Road
Ringway
Avon Road
New Penkridge Road
Hatherton Road
Longford Road
Gorsey Lane
Poplar Lane
Sandy Lane
Church Rd.
Parkside
Wellington Drive
Dartmouth Ave
Newhall Street
Mill St.
Church St.
Queens Sq.
Hunter Road
St. John's Road
Mosswood Street
Laburnum Avenue
Lilac Ave.
Hampton Street
Delta Way
Wood Lane
Bevan Lee Rd.
Old Fallow Rd.
Green Road
Brunswick Road

6
16

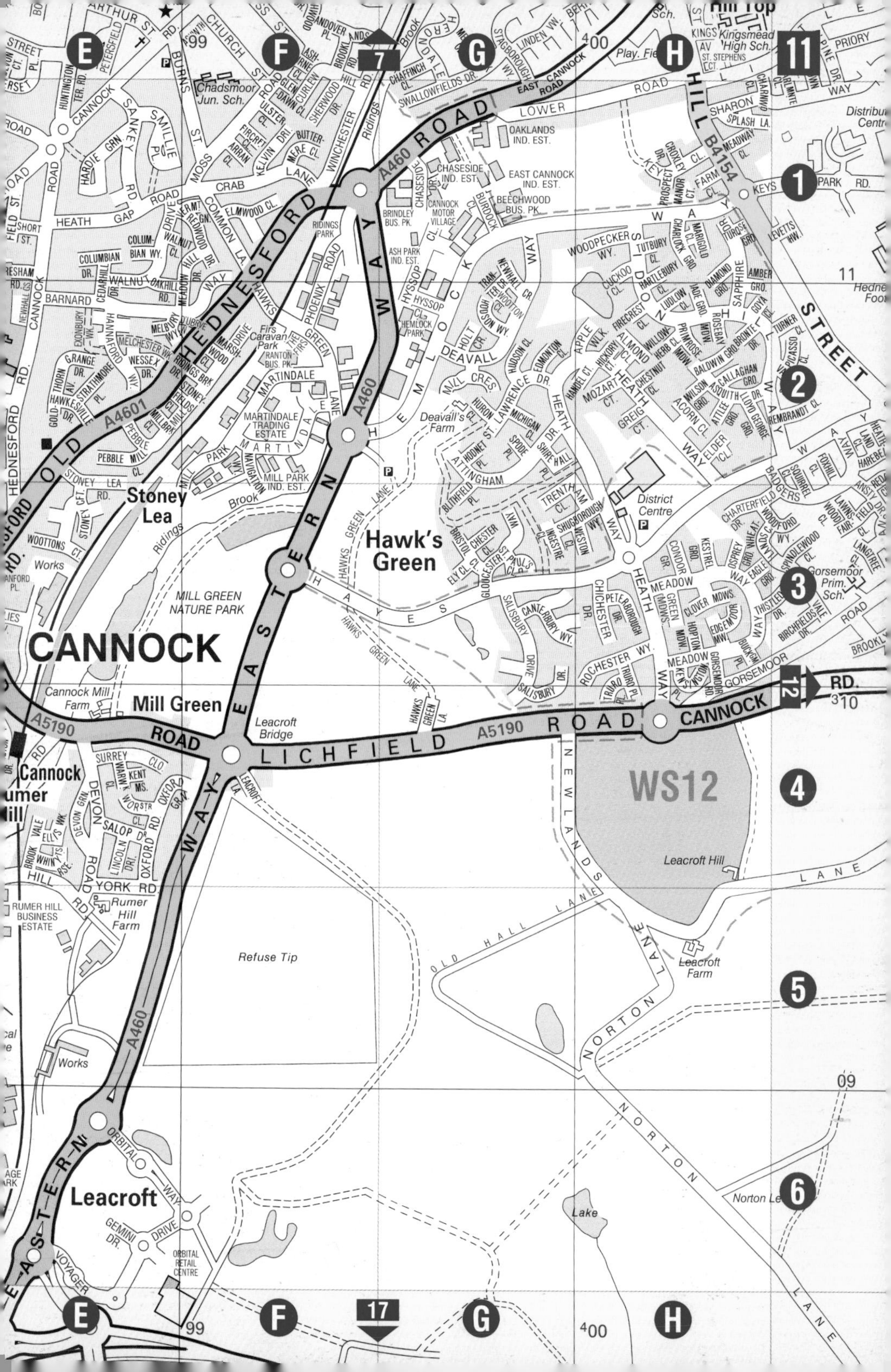

CANNOCK
Hawk's Green
Stoney Lea
Mill Green
Leacroft
Cannock
Rumer Hill
WS12
Leacroft Hill
Leacroft Farm
Refuse Tip
MILL GREEN NATURE PARK
Cannock Mill Farm
Leacroft Bridge
Deavall's Farm
District Centre
Chadsmoor Jun. Sch.
Kingsmead High Sch.
Gorsemoor Prim. Sch.
Rumer Hill Farm
RUMER HILL BUSINESS ESTATE
ORBITAL RETAIL CENTRE
OAKLANDS IND. EST.
EAST CANNOCK IND. EST.
CHASESIDE IND. EST.
BEECHWOOD BUS. PK.
BRINDLEY BUS. PK.
CANNOCK MOTOR VILLAGE
ASH PARK IND. EST.
RIDINGS PARK
MARTINDALE TRADING ESTATE
MILL PARK IND. EST.
Firs Caravan Park
RANTON BUS. PK.
Works
Lake
Norton Le
LICHFIELD ROAD A5190
CANNOCK RD.
HEDNESFORD ROAD A460
OLD HEDNESFORD A4601
EASTERN WAY A460
LOWER ROAD
EAST CANNOCK ROAD
HILL B4154
KEYS PARK RD.
STREET
ORBITAL WAY
GEMINI DR.
VOYAGER
NORTON LANE
OLD HALL LANE
NEWLANDS LANE
LEACROFT LA.
HAWKS GREEN LA.
HAYES WAY
HEATH WAY
GORSEMOOR RD.
E F G H
1 2 3 4 5 6
7 11 12 17
99 400 310 09

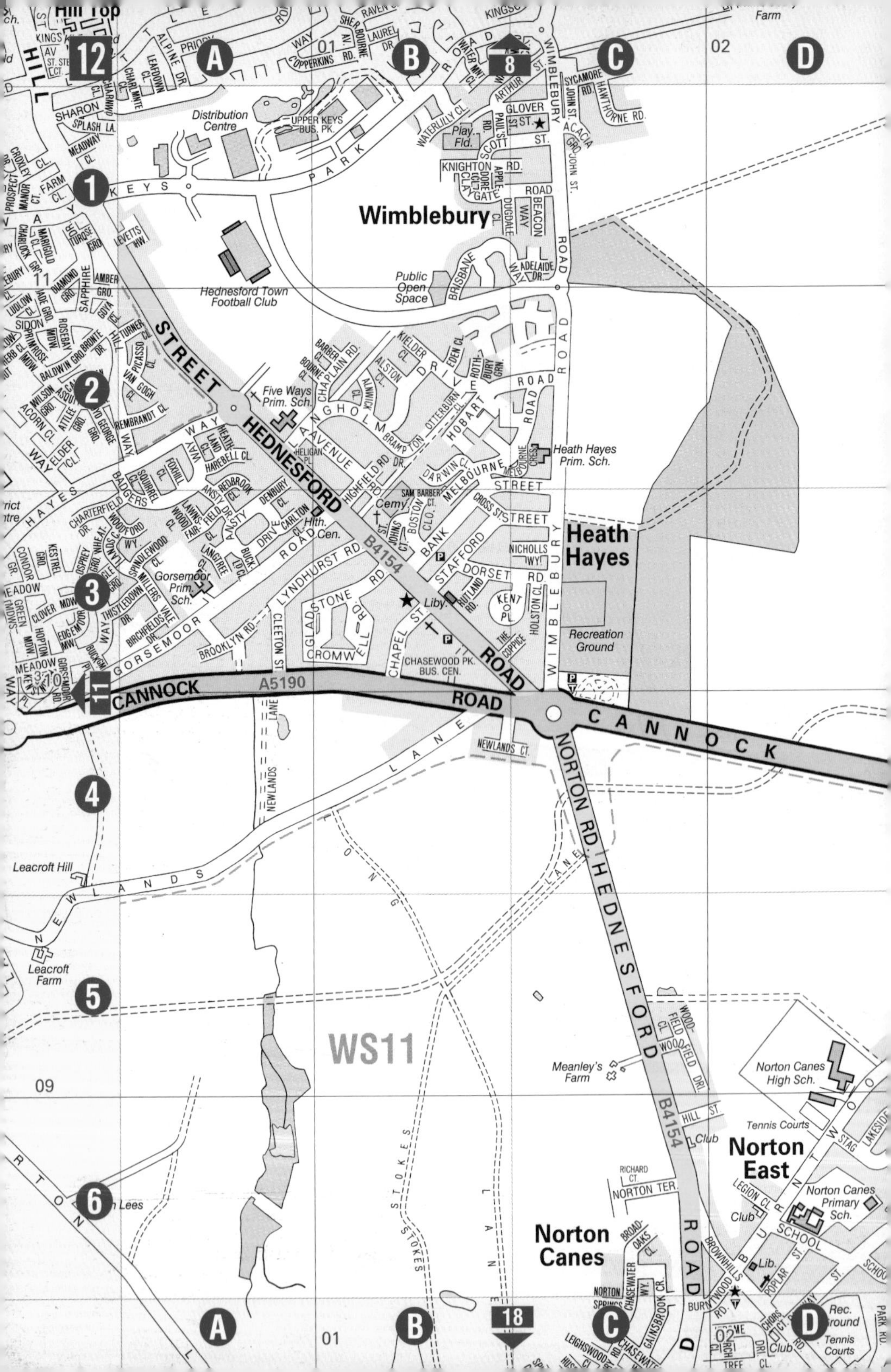
Hill Top
12
8
11
18
A
B
C
D
1
2
3
4
5
6
01
02
09
11
Farm
Distribution Centre
UPPER KEYS BUS. PK.
KEYS PARK
Wimblebury
Hednesford Town Football Club
Public Open Space
Play. Fld.
Five Ways Prim. Sch.
Heath Hayes Prim. Sch.
HEDNESFORD STREET
HEDNESFORD ROAD
B4154
Cemy.
Hlth. Cen.
Liby.
CHASEWOOD PK. BUS. CEN.
Heath Hayes
Recreation Ground
Gorsemoor Prim. Sch.
CANNOCK ROAD
A5190
CANNOCK
NORTON RD.
HEDNESFORD ROAD
WIMBLEBURY ROAD
NEWLANDS LANE
NEWLANDS CT.
LONG LANE
STOKES LANE
Leacroft Hill
Leacroft Farm
WS11
Meanley's Farm
Norton Canes High Sch.
Tennis Courts
Norton East
Norton Canes
Norton Canes Primary Sch.
Club
Lib.
Rec. Ground
GORSEMOOR ROAD
HAYES WAY
LANGHOLM DRIVE
MELBOURNE STREET
CROSS ST.
STAFFORD STREET
BANK
GLADSTONE RD.
CROMWELL RD.
LYNDHURST RD.
BROOKLYN RD.
CLEETON ST.
CHAPEL ST.
DORSET RD.
KENT PL.
HOLSTON CL.
THE COPPICE
RUTLAND RD.
NICHOLLS WY.
GLOVER ST.
SCOTT ST.
ARTHUR ST.
SYCAMORE RD.
HAWTHORNE RD.
JOHN ST.
ACACIA GRO.
KNIGHTON RD.
BEACON WAY
DUGDALE CL.
ADELAIDE DR.
BRISBANE WAY
HOBART ROAD
KIELDER CL.
EDEN CL.
ROTHBURY GRN.
ALSTON CL.
ALNWICK
BRAMPTON
OTTERBURN CL.
DARWIN CL.
CHAPLAIN RD.
BARBER CL.
BOURNE CL.
AVENUE
HIGHFIELD RD.
HELIGAN PL.
SAM BARBER CT.
BOSTON CLO.
JOHNS CT.
HAREBELL CL.
HEATHLAND WAY
REDBROOK CL.
DENBURY CL.
CARLTON CL.
ANSTY DR.
LANGTREE CL.
BUCKLAND CL.
SQUIRREL CL.
FOXHILL CL.
BADGERS
CHARTERFIELD DR.
WOODFORD WY.
SPINDLEWOOD
MILLERS VALE
BIRCHFIELDS DR.
THISTLEDOWN DR.
REMBRANDT CL.
VAN GOGH CL.
PICASSO CL.
TURNER
STREET
LEVETTS HW.
SAPPHIRE
AMBER GRO.
DIAMOND GRO.
MARIGOLD
CHARLOCK
SHARON
SPLASH LA.
MEADWAY CL.
FARM CL.
CROXLEY
PRIORY
ALPINE DR.
LEAFDOWN CL.
COPPERKINS RD.
SHERBOURNE AV.
LAUREL DR.
WATERLILY CL.
KINGSWAY
HILL
SIDON
ROSEBAY
PRIMROSE
BALDWIN GRO.
BRONTE
WILSON GRO.
ASQUITH
ATTLEE
ACORN CL.
ELDER CL.
KESTREL GRO.
OSPREY
CONDOR GR.
CLOVER MDW.
HOPTON
EDGEMOOR
MEADOW
GORSEMOOR RD.
WOODFIELD CL.
WOODFIELD DRI.
HILL ST.
RICHARD CT.
NORTON TER.
BROADOAKS CL.
CHASEWATER WY.
GAINSBROOK CR.
NORTON SPRINGS
LEIGHSWOOD
BROWNHILLS RD.
BURNTWOOD RD.
LEGION CL.
SCHOOL
POPLAR ST.
STAG
LAKESIDE
PARK RD.

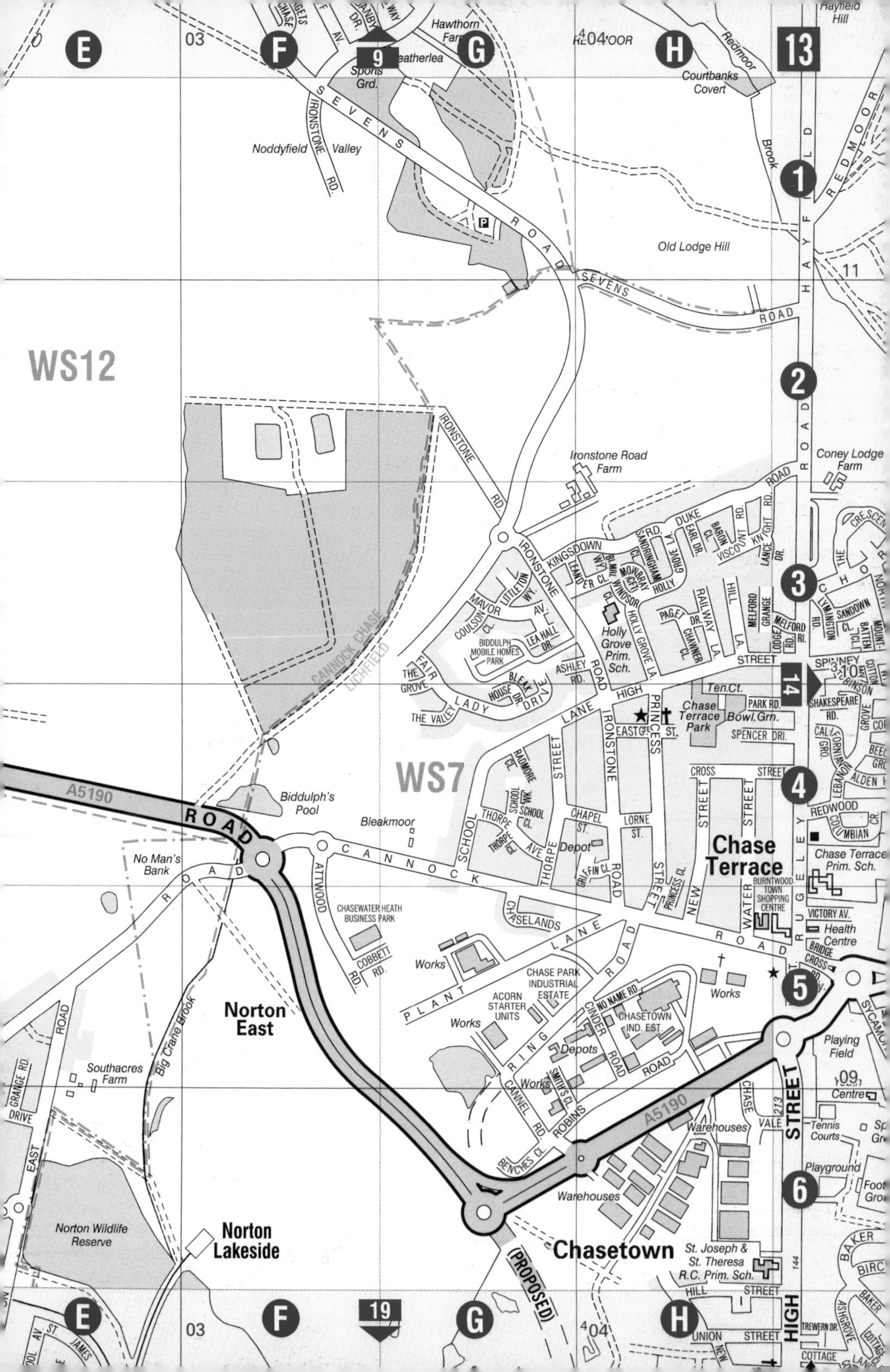
13
9
14
19
E
F
G
H
03
04
Hawthorn Farm
Sports Grd.
Redmoor
Courtbanks Covert
Hayfield Hill
SEVENS ROAD
IRONSTONE RD.
Noddyfield Valley
Brook
HAYFIELD ROAD
REDMOOR
Old Lodge Hill
11
WS12
IRONSTONE RD.
Ironstone Road Farm
Coney Lodge Farm
KINGSDOWN RD.
DUKE
EARL DR.
BARON CL.
VISCOUNT RD.
KNIGHT RD.
LANCE DR.
SANDRINGHAM CL.
HOLLY GROVE LA.
WINDSOR
LITTLETON
MAVOR AV.
COULSON CL.
LEA HALL DR.
BIDDULPH MOBILE HOMES PARK
Holly Grove Prim. Sch.
PAGET DR.
CHAWNER CL.
RAILWAY LA.
HILL LA.
MELFORD GRANGE
MELFORD RI.
LYMINGTON RD.
SANDOWN CL.
BATTEN CL.
MOUNT
STREET
SPINNEY
SHAKESPEARE RD.
CANNOCK CHASE
LICHFIELD
FAIR LADY DRIVE
THE GROVE
THE VALLEY
BLEAK HOUSE DR.
ASHLEY RD.
HIGH
LANE
PRINCESS ST.
EASTGATE ST.
Ten.Ct.
Chase Terrace Park
Bowl.Grn.
PARK RD.
SPENCER DRI.
CALIFORNIA GRO.
LEBANON
ALDEN HURST
REDWOOD
COLUMBIAN
WS7
RADMORE CL.
STREET
IRONSTONE
CROSS STREET
NEW STREET
A5190
ROAD
Biddulph's Pool
Bleakmoor
SCHOOL WK.
SCHOOL CL.
THORPE CL.
THORPE AVE
CHAPEL ST.
Depot
GRIFFIN CL.
LORNE ST.
Chase Terrace
No Man's Bank
CANNOCK ROAD
ATTWOOD
CHASEWATER HEATH BUSINESS PARK
CHASELANDS
PRINCESS CL.
WATER ST.
BURNTWOOD TOWN SHOPPING CENTRE
UGELEY
VICTORY AV.
Health Centre
Chase Terrace Prim. Sch.
BRIDGE CROSS
COBBETT RD.
Works
PLANT LANE
CHASE PARK INDUSTRIAL ESTATE
ACORN STARTER UNITS
Works
NO NAME RD.
CHASETOWN IND. EST.
CINDER ROAD
RING ROAD
Depots
Works
SMITH'S CL.
CANNEL RD.
ROBINS
BENCHES CL.
Norton East
Big Crane Brook
Southacres Farm
GRANGE RD.
DRIVE
EAST
Norton Wildlife Reserve
Norton Lakeside
(PROPOSED)
Warehouses
Warehouses
Chasetown
CHASE VALE
HIGH STREET
SYCAMORE
Playing Field
09
Youth Centre
Tennis Courts
Playground
St. Joseph & St. Theresa R.C. Prim. Sch.
HILL STREET
UNION STREET
NEW
BAKER
BIRCH
ASHGROVE
COTTAGE LANE
TREWERN DR.
ST. JAMES

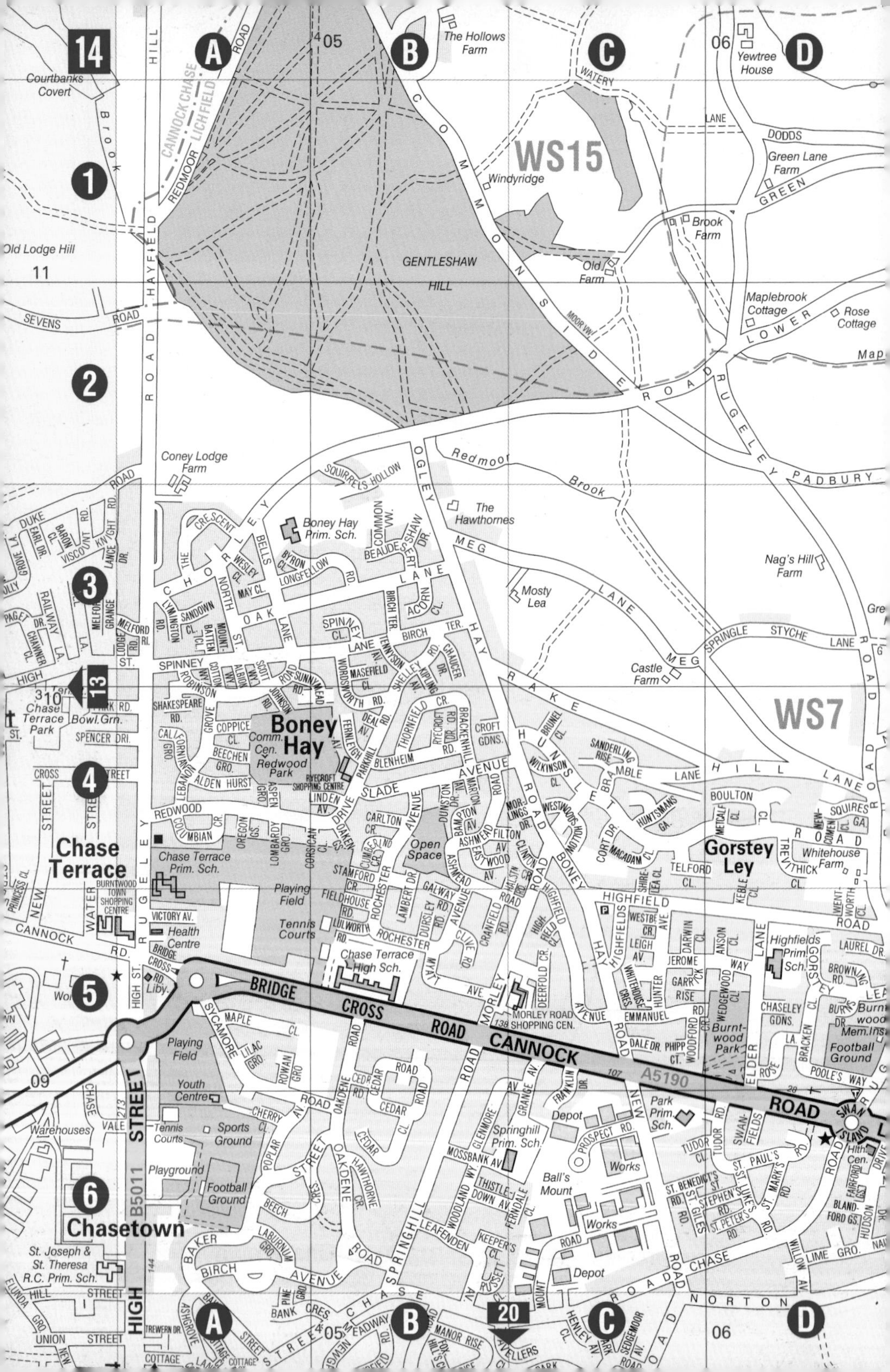

A
B
C
D
05
06
1
2
3
4
5
6
11
10
09
Courtbanks Covert
Brook
Old Lodge Hill
SEVENS ROAD
HAYFIELD HILL ROAD
CANNOCK CHASE
LICHFIELD
REDMOOR ROAD
The Hollows Farm
WATERY LANE
Yewtree House
DODDS
Green Lane Farm
GREEN
WS15
Windyridge
COMMONSIDE
GENTLESHAW HILL
Brook Farm
Old Farm
Maplebrook Cottage
Rose Cottage
LOWER ROAD
MOOR VW.
RUGELEY ROAD
PADBURY
Coney Lodge Farm
SQUIRRELS HOLLOW
OGLEY
Redmoor Brook
The Hawthornes
Boney Hay Prim. Sch.
MEG LANE
Nag's Hill Farm
Mosty Lea
SPRINGLE STYCHE LANE
Castle Farm
WS7
HAY RAKE
HILL LANE
Boney Hay
Comm. Cen.
Redwood Park
RYECROFT SHOPPING CENTRE
Gorstey Ley
Whitehouse Farm
Chase Terrace
Chase Terrace Park
Bowl.Grn.
Chase Terrace Prim. Sch.
BURNTWOOD TOWN SHOPPING CENTRE
Health Centre
Playing Field
Tennis Courts
Chase Terrace High Sch.
Open Space
HIGHFIELD ROAD
Highfields Prim. Sch.
Burntwood Park
Burntwood Mem.Inst.
Football Ground
MORLEY ROAD SHOPPING CEN.
BRIDGE CROSS ROAD
CANNOCK ROAD
A5190
Park Prim. Sch.
SWAN ISLAND
Hlth. Cen.
Depot
Works
Springhill Prim. Sch.
Ball's Mount
Youth Centre
Sports Ground
Tennis Courts
Playground
Football Ground
Warehouses
HIGH STREET
B5011
Chasetown
St. Joseph & St. Theresa R.C. Prim. Sch.
CHASE ROAD
NORTON
13
20

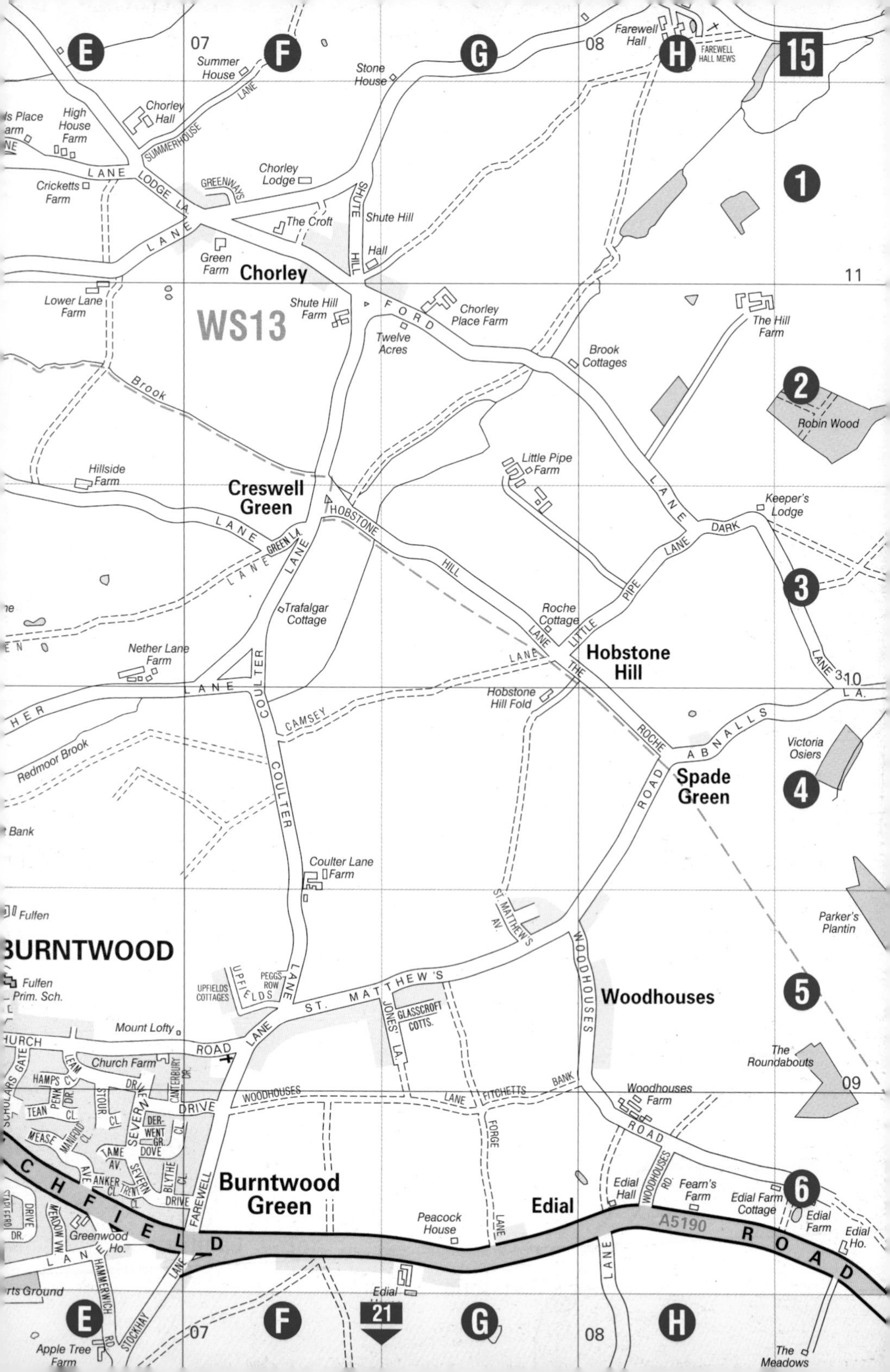
15
07
08
11
10
09
Summer House
Stone House
Farewell Hall
FAREWELL HALL MEWS
Chorley Hall
High House Farm
Cricketts Farm
Chorley Lodge
GREENWAYS
SUMMERHOUSE LANE
LODGE LA.
The Croft
Shute Hill
Hall
SHUTE HILL
Green Farm
Chorley
Lower Lane Farm
Shute Hill Farm
FORD
Chorley Place Farm
Twelve Acres
WS13
Brook
Brook Cottages
The Hill Farm
Robin Wood
Hillside Farm
Little Pipe Farm
Creswell Green
HOBSTONE HILL
GREEN LA.
Keeper's Lodge
DARK LANE
LITTLE PIPE LANE
Trafalgar Cottage
Roche Cottage
Hobstone Hill
Nether Lane Farm
COULTER LANE
CAMSEY LANE
Hobstone Hill Fold
ROCHE ROAD
ABNALLS LA.
Victoria Osiers
Spade Green
Redmoor Brook
Coulter Lane Farm
ST. MATTHEW'S AV.
Fulfen
Parker's Plantin
BURNTWOOD
Fulfen Prim. Sch.
UPFIELDS COTTAGES
PEGGS ROW
UPFIELDS
ST. MATTHEW'S LANE
JONES' LA.
GLASSCROFT COTTS.
WOODHOUSES ROAD
Woodhouses
Mount Lofty
CHURCH ROAD
Church Farm
CANTERBURY DR.
The Roundabouts
WOODHOUSES DRIVE
FITCHETTS BANK
Woodhouses Farm
Burntwood Green
FORGE LANE
Edial Hall
WOODHOUSES RD.
Fearn's Farm
Edial Farm Cottage
Edial Farm
Edial Ho.
Edial
Peacock House
A5190
CHFIELD ROAD
Greenwood Ho.
FAREWELL LANE
STOCKHAY LANE
HAMMERWICH RD.
Edial
21
Apple Tree Farm
The Meadows
rts Ground
SCHOLARS GATE
HAMPS CL.
PENK DR.
LEAM
TEAN CL.
STOUR CL.
SEVERN DRIVE
DERWENT GR.
MEASE AVE.
MANIFOLD CL.
TAME AV.
DOVE
ANKER CL.
TRENT CL.
BLYTHE CL.
MEADOW VW.

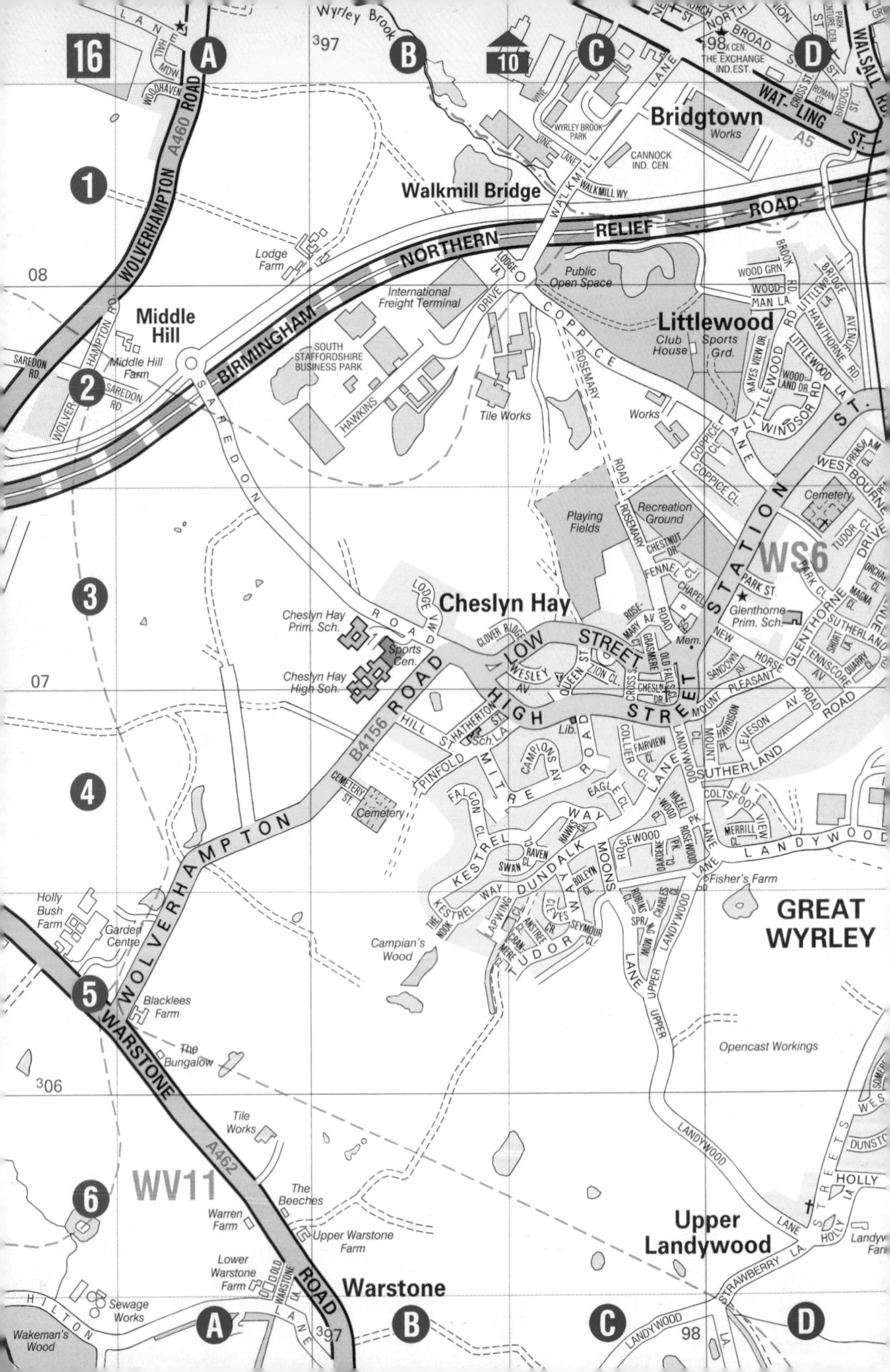

16
A
B
C
D
10
397
98
306
08
07
1
2
3
4
5
6
Wyrley Brook
Bridgtown
Works
WYRLEY BROOK PARK
CANNOCK IND. CEN.
THE EXCHANGE IND.EST.
NORTH
BROAD
CROSS ST.
ROMAN CL.
BRIDGE ST.
WATLING ST.
A5
WALSALL RD.
VINE LANE
WALKMILL LANE
WALKMILL WY.
Walkmill Bridge
BIRMINGHAM NORTHERN RELIEF ROAD
Lodge Farm
LODGE LA.
International Freight Terminal
SOUTH STAFFORDSHIRE BUSINESS PARK
HAWKINS DRIVE
Tile Works
Public Open Space
COPPICE
ROSEMARY ROAD
Littlewood
Club House
Sports Grd.
WOOD GRN.
WOODMAN LA.
BROOK RD.
LITTLEWOOD RD.
LITTLEWOOD LANE
HAWTHORNE RD.
BRIDGE AVENUE
HAYES VIEW DR.
WOODLAND DR.
LITTLEWOOD LA.
WINDSOR RD
COPPICE CL.
Works
Middle Hill
Middle Hill Farm
SAREDON RD.
WOLVERHAMPTON RD.
WOLVERHAMPTON ROAD
A460
WOODHAVEN
HALL MDW
LANE
SAREDON ROAD
Playing Fields
Recreation Ground
CHESTNUT DR.
FENNEL CL.
CHAPEL
STATION ST.
WESTBOURNE
Cemetery
TUDOR CL.
DRIVE
WS6
PARK ST.
Glenthorne Prim. Sch.
PARK CL.
MAGNA CL.
GLENTHORNE
SUTHERLAND
SHORT LA.
TENNSCORE AV.
QUARRY CL.
Cheslyn Hay
LODGE VW.
LODGE ROAD
Cheslyn Hay Prim. Sch.
Sports Cen.
Cheslyn Hay High Sch.
CLOVER RIDGE
LOW STREET
HIGH STREET
WESLEY AV.
QUEEN ST.
ZION CL.
ROSEMARY AV.
GRASMERE CL.
OLD FALLS CL.
CROSS ST.
CHESLYN DR.
Mem.
NEW
SANDOWN AV.
HORSE
MOUNT PLEASANT
ROAD
B4156 ROAD
HILL ST.
HATHERTON ST.
Sch.
LA.
Lib.
PINFOLD
MITRE ROAD
CAMPIONS AV.
COLLIER CL.
FAIRVIEW CL.
LANDYWOOD LANE
MOUNT CL.
HARRISON PL.
LEVESON AV.
SUTHERLAND ROAD
CEMETERY ST.
Cemetery
FALCON CL.
EAGLE CL.
KESTREL WAY
HAWKS CL.
HAZELWOOD CL.
COLTSFOOT VIEW
MERRILL CL.
LANDYWOOD LANE
SWAN CL.
RAVEN CL.
DUNDALK
ROSEWOOD
ROSEWOOD PK.
OAKDENE CL.
PK. LANE
MOONS
BOLEYN CL.
THE NOOK
LAPWING CL.
CLEVES CR.
ANSTREE CL.
CRANMERE CL.
SEYMOUR CL.
TUDOR WAY
ROBINS CL.
CHARLES CL.
SPRING MDW.
UPPER LANDYWOOD LANE
Fisher's Farm
GREAT WYRLEY
Campian's Wood
Holly Bush Farm
Garden Centre
WOLVERHAMPTON ROAD
Blacklees Farm
The Bungalow
WARSTONE ROAD
A462
Tile Works
WV11
The Beeches
Warren Farm
Upper Warstone Farm
Lower Warstone Farm
OLD WARSTONE LA.
Warstone
Sewage Works
HILTON LANE
Wakeman's Wood
Opencast Workings
LANDYWOOD
Upper Landywood
STRAWBERRY LA.
LANDYWOOD LA.
STREETS LANE
HOLLY LA.
Landywood Farm
DUNSTON

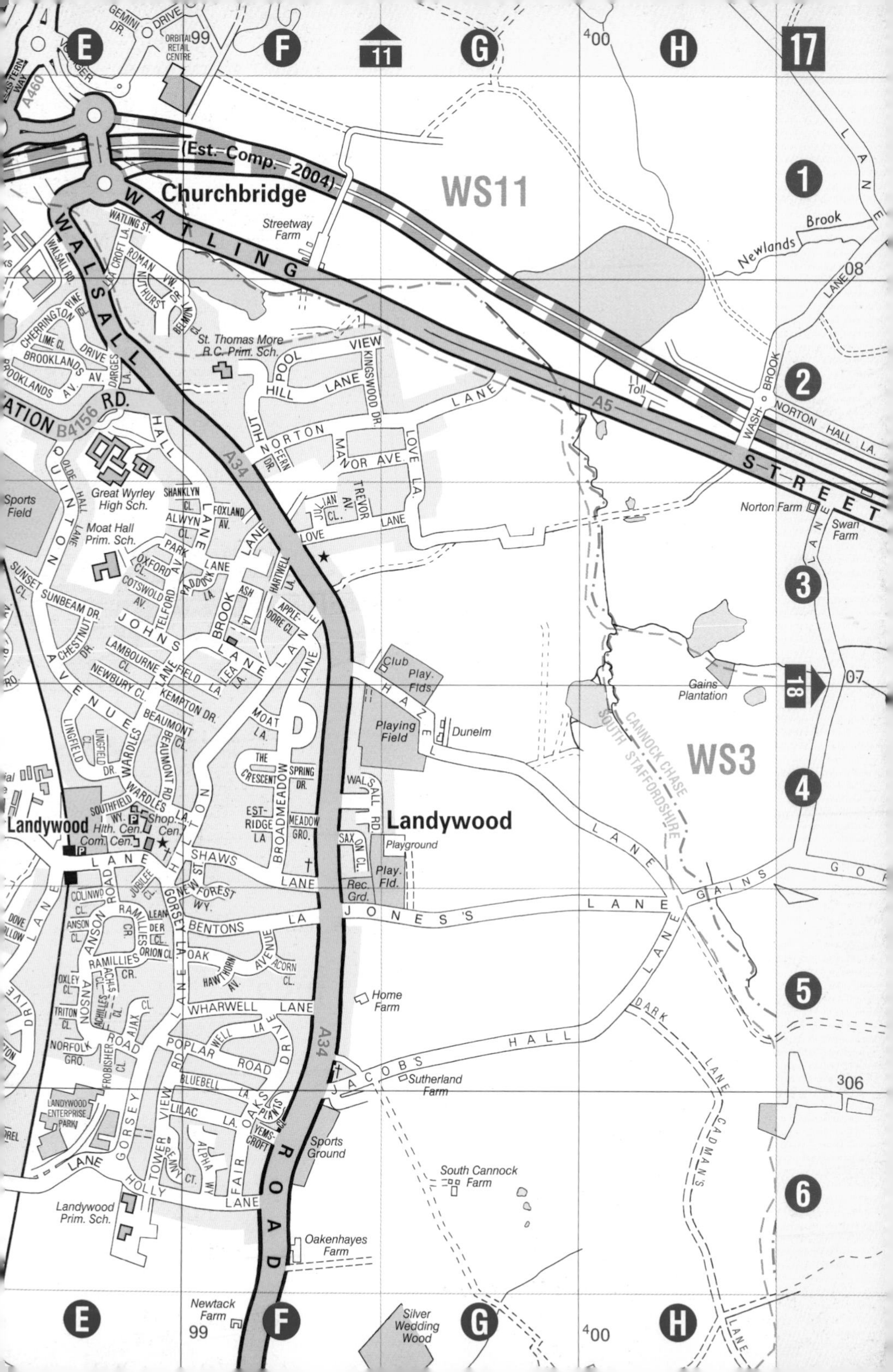

E
F
11
G
H
17
99
400
Churchbridge
WS11
(Est. Comp. 2004)
WATLING STREET
Streetway Farm
Newlands Brook
WALSALL RD.
A34
A5
A460
B4156
STATION RD.
St. Thomas More R.C. Prim. Sch.
POOL VIEW
HILL LANE
KINGSWOOD DR.
NORTON LANE
MANOR AVE
LOVE LA.
Toll
WASH-BROOK
NORTON HALL LA.
Norton Farm
Swan Farm
Great Wyrley High Sch.
Moat Hall Prim. Sch.
Sports Field
Gains Plantation
18
WS3
CANNOCK CHASE
SOUTH STAFFORDSHIRE
Club Play. Flds.
Playing Field
Dunelm
HAZEL LANE
Landywood
Playground
Play. Fld.
Rec. Grd.
Landywood
Hlth. Cen.
Com. Cen.
Shop. Cen.
SHAWS LANE
JONES'S LANE
GAINS LANE
Home Farm
DARK LANE
HALL LANE
JACOB'S
Sutherland Farm
CADMAN'S LANE
Sports Ground
South Cannock Farm
LANDYWOOD ENTERPRISE PARK
Landywood Prim. Sch.
HOLLY LANE
Oakenhayes Farm
Newtack Farm
Silver Wedding Wood
ROAD
WHARWELL LANE
POPLAR ROAD
GORSEY LANE
1
2
3
4
5
6
08
07
306

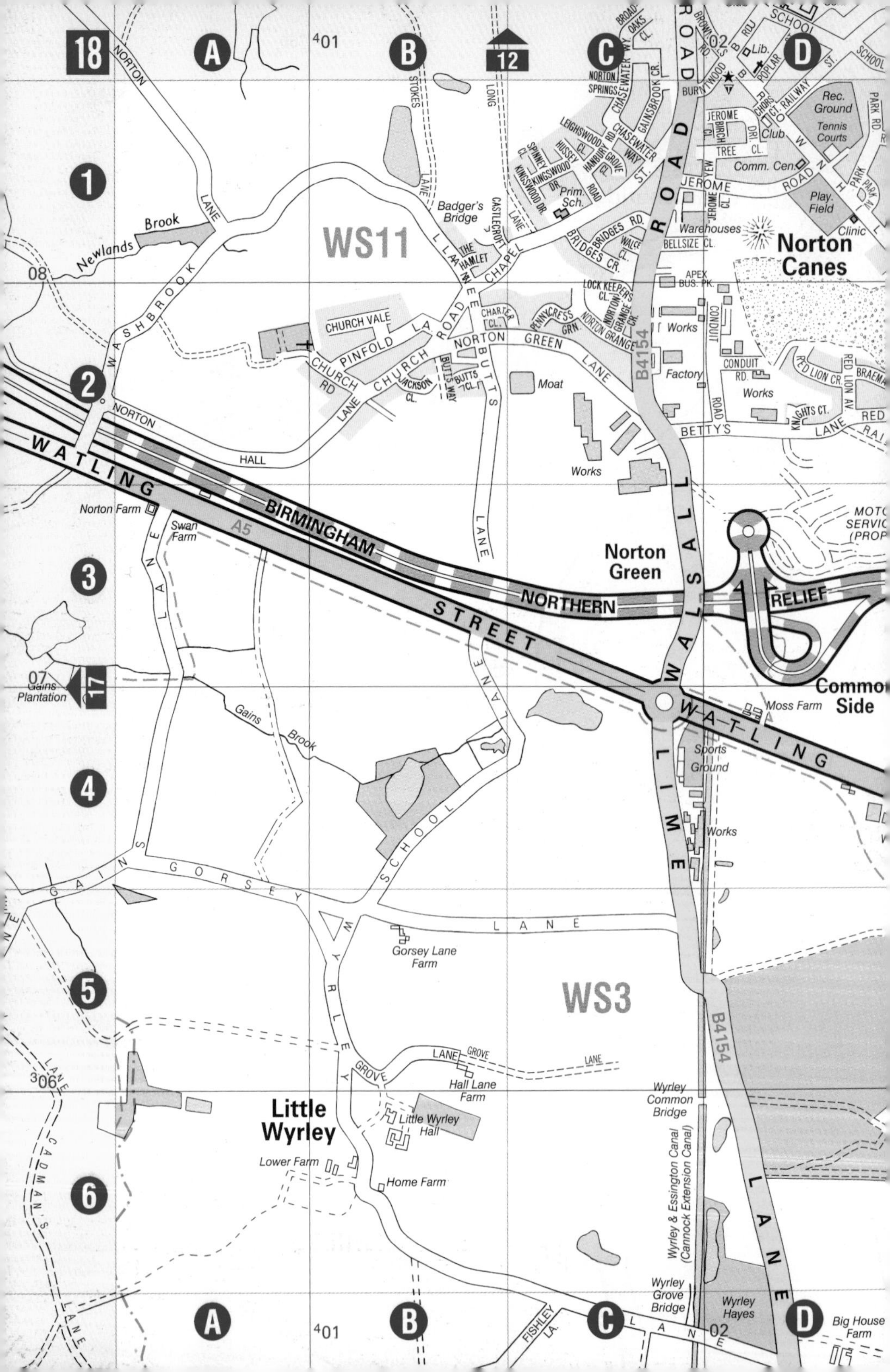

A
B
C
D
401
12
1
2
3
4
5
6
08
07
306
17
02
WS11
WS3
Norton Canes
Norton Green
Little Wyrley
Common Side
NORTON LANE
Newlands Brook
WASHBROOK
NORTON HALL
WATLING STREET
BIRMINGHAM NORTHERN RELIEF
A5
WALSALL ROAD
LIME LANE
B4154
CHURCH VALE
PINFOLD LA.
CHURCH RD
CHURCH LANE
CHURCH ROAD
JACKSON CL.
BUTTS WAY
BUTTS CL.
BUTTS LANE
NORTON GREEN LANE
CHAPEL
THE HAMLET
Badger's Bridge
CASTLECROFT
LONG LANE
STOKES LANE
Moat
Works
Factory
Warehouses
APEX BUS. PK.
CONDUIT ROAD
CONDUIT RD.
BETTY'S LANE
KNIGHTS CT.
RED LION CR.
RED LION AV
CHARTER CL.
PENNYCRESS GRN.
NORTON GRANGE
NORTON GRANGE CR.
LOCK KEEPERS CL.
BELLSIZE CL.
BRIDGES CR.
BRIDGES RD.
WALCE CL.
JEROME
JEROME CL.
JEROME CT.
BIRCH TREE CL.
YEW
Comm. Cen.
Club
Rec. Ground
Tennis Courts
Play. Field
Clinic
Lib.
POPLAR
BURNTWOOD
SCHOOL
RAILWAY
Prim. Sch.
KINGSWOOD DR.
SPINNEY CL.
HUSSEY RD.
HANBURY RD.
GROVE CL.
CHASEWATER WAY
CHASEWATER WY.
GAINSBROOK CR.
NORTON SPRINGS
OAKS CL.
LEIGHSWOOD CL.
Norton Farm
Swan Farm
Gains Plantation
Gains Brook
GAINS LANE
GORSEY LANE
SCHOOL LANE
WYRLEY
Gorsey Lane Farm
Moss Farm
Sports Ground
GROVE LANE
Hall Lane Farm
Little Wyrley Hall
Lower Farm
Home Farm
Wyrley Common Bridge
Wyrley & Essington Canal (Cannock Extension Canal)
Wyrley Grove Bridge
Wyrley Hayes
FISHLEY LA.
Big House Farm
CADMAN'S LANE

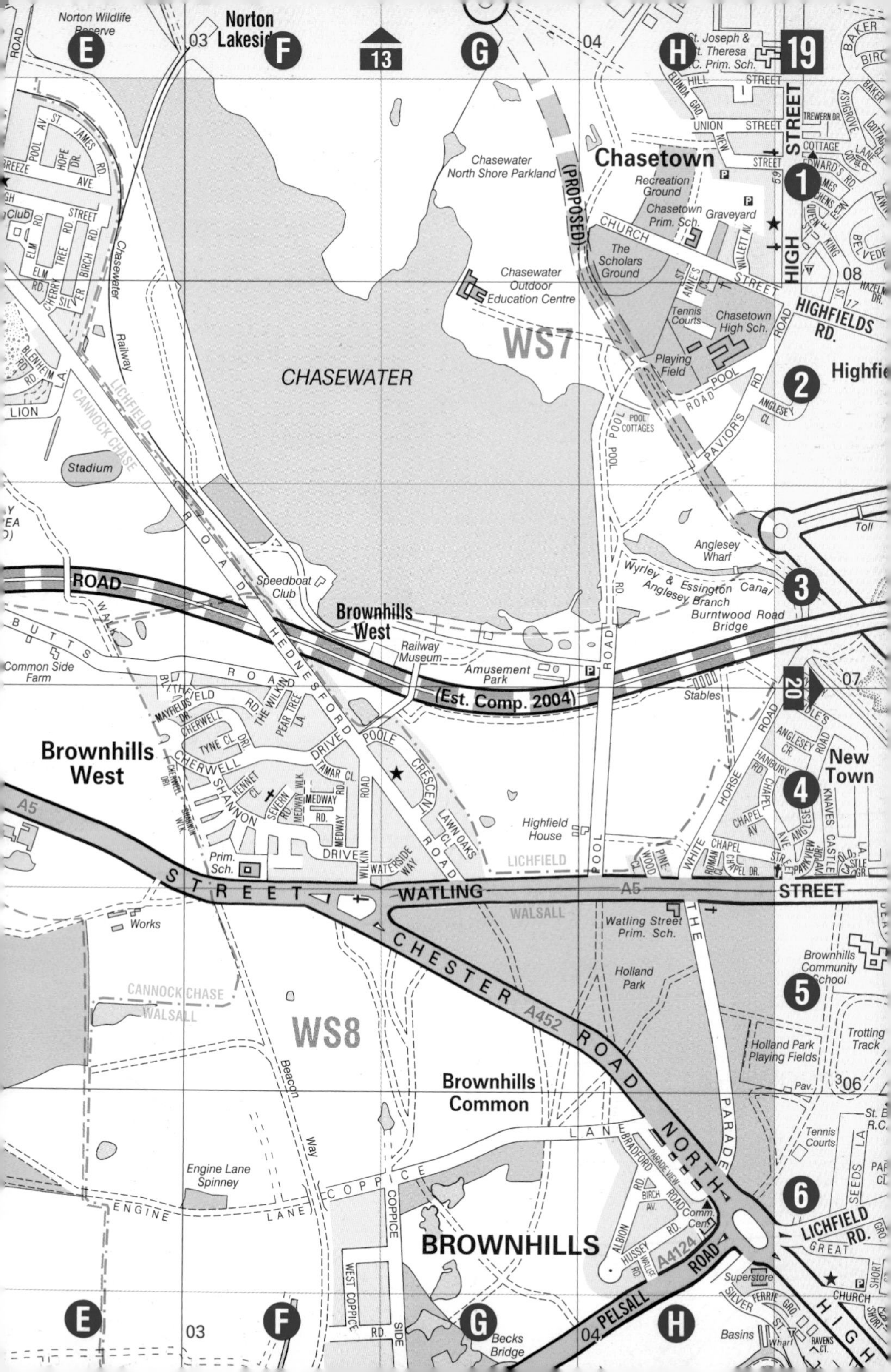

13
19
20
Norton Wildlife Reserve
Norton Lakeside
Chasetown
Chasewater North Shore Parkland
(PROPOSED)
Recreation Ground
Chasetown Prim. Sch.
Graveyard
The Scholars Ground
Chasewater Outdoor Education Centre
Tennis Courts
Chasetown High Sch.
Playing Field
WS7
CHASEWATER
Chasewater Railway
Stadium
Highfields Rd.
Anglesey Wharf
Wyrley & Essington Canal
Anglesey Branch
Burntwood Road Bridge
Speedboat Club
Brownhills West
Railway Museum
Amusement Park
(Est. Comp. 2004)
Stables
Common Side Farm
New Town
Highfield House
Prim. Sch.
WATLING STREET
CHESTER ROAD
Works
Watling Street Prim. Sch.
Holland Park
Brownhills Community School
CANNOCK CHASE
WALSALL
WS8
Holland Park Playing Fields
Trotting Track
Beacon Way
Brownhills Common
Tennis Courts
Engine Lane Spinney
BROWNHILLS
Superstore
Basins
Becks Bridge

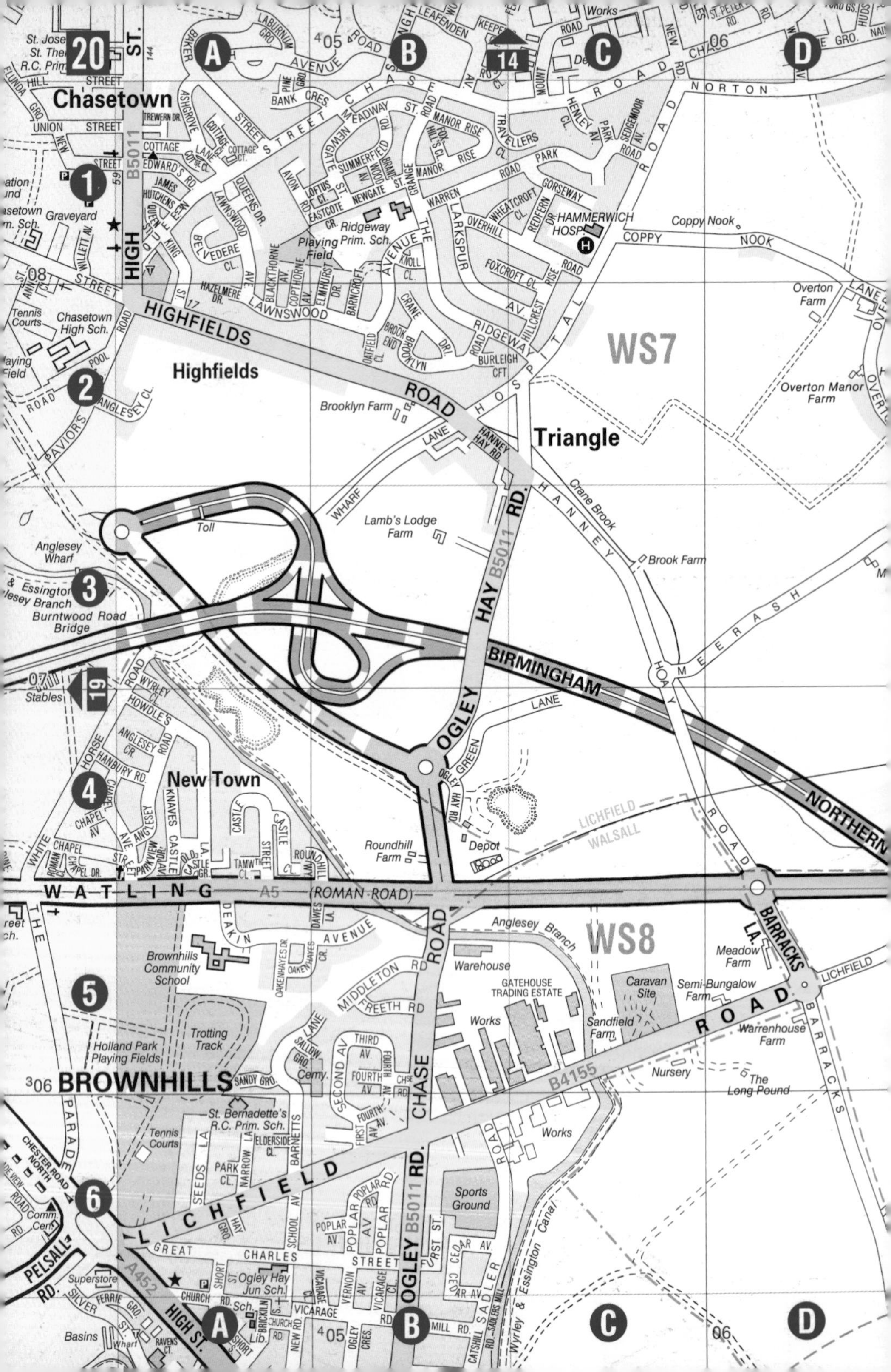
Chasetown
Highfields
Triangle
New Town
BROWNHILLS
WS7
WS8
HIGH ST.
B5011
HIGHFIELDS ROAD
HOSPITAL ROAD
OGLEY HAY RD.
BIRMINGHAM NORTHERN
WATLING A5 (ROMAN ROAD)
CHASE ROAD
LICHFIELD ROAD
B4155
BARRACKS LA.
MEERASH
HANNEY HAY ROAD
NORTON ROAD
COPPY NOOK
Hammerwich Hosp.
Ridgeway Prim. Sch.
Playing Field
Chasetown High Sch.
Brooklyn Farm
Lamb's Lodge Farm
Brook Farm
Overton Farm
Overton Manor Farm
Coppy Nook
Crane Brook
Anglesey Wharf
Burntwood Road Bridge
Toll
Stables
Roundhill Farm
Depot
LICHFIELD
WALSALL
Anglesey Branch
Warehouse
GATEHOUSE TRADING ESTATE
Works
Caravan Site
Meadow Farm
Semi-Bungalow Farm
Sandfield Farm
Warrenhouse Farm
Nursery
The Long Pound
Brownhills Community School
Trotting Track
Holland Park Playing Fields
Cemy.
St. Bernadette's R.C. Prim. Sch.
Tennis Courts
Sports Ground
Wyrley & Essington Canal
Ogley Hay Jun Sch.
Superstore
Basins
Lib.
14
19

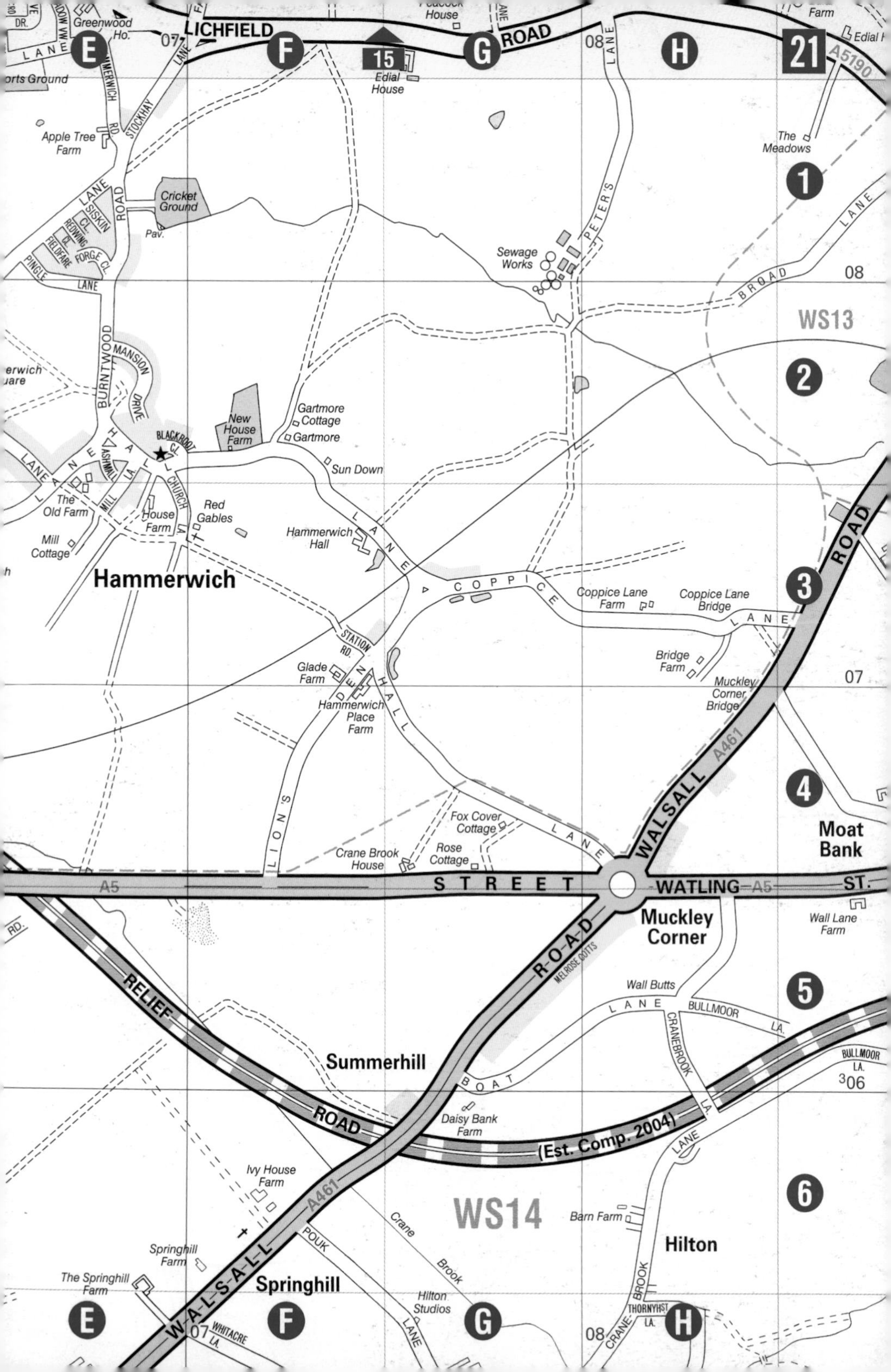
21
15
LICHFIELD ROAD
A5190
Greenwood Ho.
Edial House
Apple Tree Farm
The Meadows
Cricket Ground
Pav.
Sewage Works
PETER'S LANE
BROAD LANE
WS13
BURNTWOOD RD.
STOCKHAY LANE
SISKIN CL.
REDWING CL.
FIELDFARE CL.
FORGE CL.
PINGLE LANE
MANSION DRIVE
New House Farm
Gartmore Cottage
Gartmore
Sun Down
BLACKROOT CL.
HALL LANE
ASHMALL
MILL LA.
CHURCH LA.
The Old Farm
House Farm
Red Gables
Mill Cottage
Hammerwich Hall
Hammerwich
COPPICE LANE
Coppice Lane Farm
Coppice Lane Bridge
STATION RD.
Glade Farm
Hammerwich Place Farm
DEN HALL LANE
Bridge Farm
Muckley Corner Bridge
WALSALL ROAD
A461
Moat Bank
LION'S LANE
Fox Cover Cottage
Crane Brook House
Rose Cottage
A5
WATLING STREET
ST.
Muckley Corner
Wall Lane Farm
MELROSE COTTS
Wall Butts
LANE
BULLMOOR LA.
CRANEBROOK LA.
RELIEF ROAD (Est. Comp. 2004)
Summerhill
BOAT LANE
Daisy Bank Farm
Ivy House Farm
WS14
Barn Farm
Hilton
Crane Brook
Springhill Farm
The Springhill Farm
POUK LANE
Springhill
Hilton Studios
WHITACRE LA.
CRANE-BROOK LANE
THORNYHST LA.
E
F
G
H
1
2
3
4
5
6
07
08
306

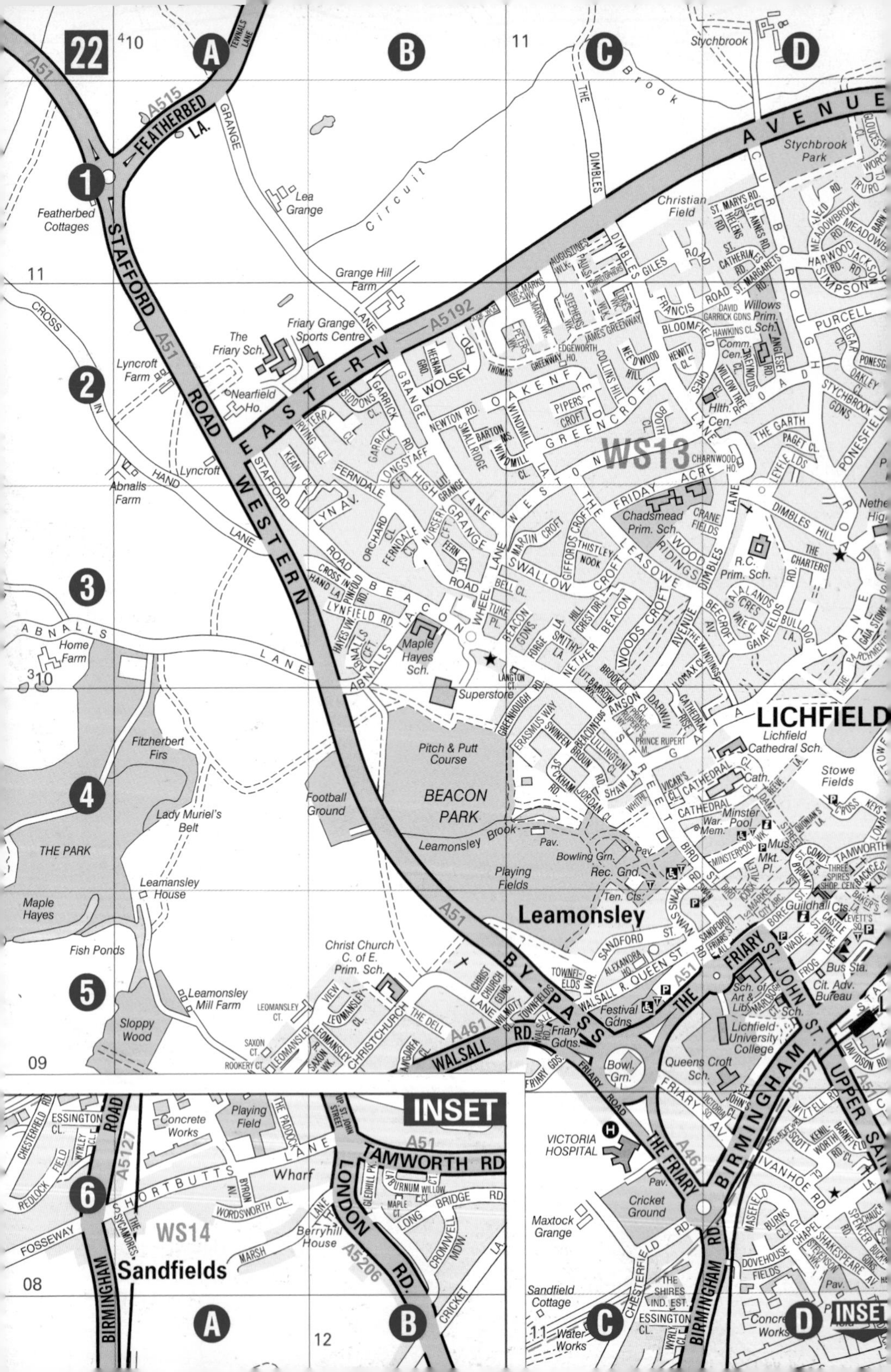

22
410
A
B
C
D
11
A51
A515
FEATHERBED LA.
TEWNALS LANE
GRANGE
Lea Grange
Circuit
Brook
Stychbrook
THE DIMBLES
AVENUE
Stychbrook Park
Featherbed Cottages
STAFFORD
Christian Field
ST. MARYS RD.
ST. HELENS
ST. ANNES RD.
CURBOROUGH
MEADOWBROOK
HARWOOD
JACKSON
SIMPSON
CROSS
Grange Hill Farm
LANE
GILES ROAD
ST. CATHERINES RD.
ST. MARGARETS RD.
FRANCIS ROAD
DAVID GARRICK GDNS.
Willows Prim. Sch.
PURCELL
ELGAR CL.
PONESGREEN
OAKLEY
A5192
JAMES GREENWAY
EDGEWORTH HO.
BLOOMFIELD
HAWKINS CL.
Comm. Cen.
ANGLESEY RD.
The Friary Sch.
Friary Grange Sports Centre
EASTERN
HEENAN GRO.
WOLSEY RD.
THOMAS GREENWAY HO.
COLLINS HILL
NEEDWOOD HILL
HEWITT CL.
REYNOLDS CL.
WILLOW TREE CL.
STYCHBROOK GDNS.
Lyncroft Farm
SIDDONS CL.
GARRICK
NEWTON RD.
OAKENFIELD
PIPERS CROFT
Hlth. Cen.
THE GARTH
PONESFIELD
Nearfield Ho.
GARRICK CL.
SMALLRIDGE
BARTON MS.
WINDMILL
GREENCROFT
BOOTH CL.
WS13
CHARNWOOD HO.
PAGET CL.
LEYFIELDS
IRVING CL.
TERRY CL.
ROAD
KEAN CL.
FERNDALE
LONGSTAFF CFT.
HIGH GRANGE
WINDMILL CL.
WESTON
FRIDAY ACRE
Chadsmead Prim. Sch.
CRANE FIELDS
DIMBLES HILL
Abnalls Farm
HAND
Lyncroft
WESTERN
LYN AV.
ORCHARD CL.
FERNDALE CL.
NURSERY CFT.
FERN CFT.
MARTIN CROFT
GIFFORDS CROFT
THISTLEY NOOK
WOOD RIDINGS
R.C. Prim. Sch.
THE CHARTERS
CROSS IN HAND LA.
PINFOLD RD.
BEACON
WHEEL LANE
BELL CL.
SWALLOW CROFT
LEASOWE
DIMBLES
GAIALANDS CRES
BULLDOG LA.
LYNFIELD RD.
TUKE PL.
CREST DR.
BEACON
WOODS CROFT
AVENUE
BEECROFT AV.
GAIAFIELDS RD.
VALE CL.
ABNALLS LANE
Home Farm
HAYES VW.
ABNALLS CFT.
Maple Hayes Sch.
BEACON GDNS.
FORGE LA.
SMITHY LA.
NETHER BEACON
THE WINDINGS
LOMAX CL.
310
LANGTON CT.
BROOK CL.
LT. BARROW WK.
ANSON
DARWIN
CATHEDRAL RISE
Superstore
GREENHOUGH RD.
ERASMUS WAY
SWINFEN BROUN
BEACONFIELDS
PRINCE RUPERT MS.
GAIA
LICHFIELD
Lichfield Cathedral Sch.
Fitzherbert Firs
Pitch & Putt Course
LILLINGTON CL.
SECKHAM RD.
JORDAN CL.
SHAW LA.
STREET
VICAR'S CL.
CATHEDRAL
CL.
Cath.
REEVE LA.
Stowe Fields
CROSS KEYS
Football Ground
BEACON PARK
Lady Muriel's Belt
THE PARK
CATHEDRAL
Minster Pool
War Mem.
MINSTERPOOL WK.
Mus.
Mkt. Pl.
TAMWORTH
Leamonsley Brook
Pav.
Bowling Grn.
Rec. Gnd.
Playing Fields
BIRD ST
THREE SPIRES SHOP. CEN.
BACKCESTER LA.
Leamansley House
Ten. Cts.
SWAN RD.
MARKET ST.
BORE ST.
Guildhall
Cts.
CASTLE DYKE
Maple Hayes
Leamonsley
SANDFORD ST.
WADE ST.
FROG LA.
Fish Ponds
Christ Church C. of E. Prim. Sch.
A51
BY-PASS
ALEXANDRA RD.
QUEEN ST.
SANDFORD ST.
FRIARY
Bus Sta.
Cit. Adv. Bureau
ST. JOHN ST.
5
Leamonsley Mill Farm
VIEW
LEOMANSLEY CL.
CHRIST CHURCH GDNS.
TOWNFIELDS
WALSALL RD.
THE FRIARY
Sch. of Art & Lib.
Sch.
Festival Gdns
Sloppy Wood
LEOMANSLEY CT.
CHRISTCHURCH
THE DELL
WILMOTT CL.
Friary Gdns.
Lichfield University College
SAXON CT.
LEOMANSLEY
SAXON WK.
A461
WALSALL RD.
BIRMINGHAM
A5127
UPPER ST. JOHN
DAVIDSON RD.
09
ROOKERY CT.
Bowl. Grn.
Queens Croft Sch.
FRIARY AV.
VICTORIA CL.
WITTELL RD.
INSET
ESSINGTON CL.
Playing Field
THE PADDOCK
UP. ST. JOHN STREET
A51
Concrete Works
ROAD
TAMWORTH RD
WYRLEY CL.
LANE
Wharf
LONDON
LABURNUM WILLOW CT.
VICTORIA HOSPITAL
FRIARY ROAD
A461
SCOTT
KENILWORTH RD.
BARNFIELD CL.
IVANHOE RD.
6
SHORTBUTTS
BYRON AV.
WORDSWORTH CL.
MAPLE CT.
LONG BRIDGE RD
Cricket Ground
MASEFIELD
BURNS CL.
CHAPEL
SHAKESPEARE AV.
REDLOCK FIELD
A5127
THE SYCAMORES
WS14
Berryhill House
CROMWELL MDW.
A5206
Maxtock Grange
CHESTERFIELD RD.
DOVEHOUSE FIELDS
FOSSEWAY
BIRMINGHAM
Sandfields
MARSH
RD.
08
CRICKET
Sandfield Cottage
THE SHIRES IND. EST.
BIRMINGHAM RD.
ESSINGTON CL.
Concrete Works
Water Works
12

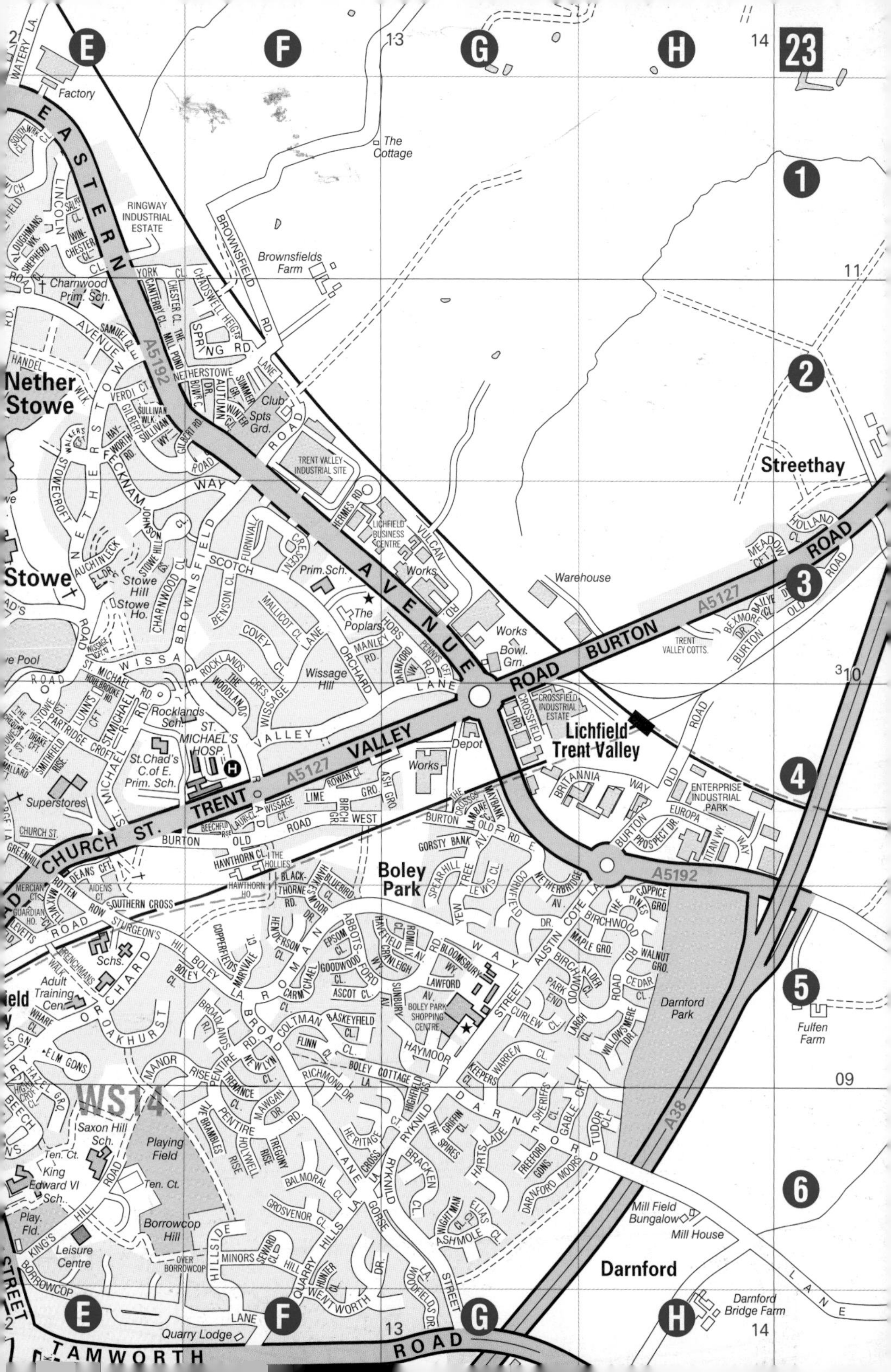

E
F
G
H
13
14
1
2
3
4
5
6
11
10
09
Nether Stowe
Stowe
Streethay
Boley Park
Darnford
Lichfield Trent Valley
EASTERN AVENUE
A5192
A5127
A38
BURTON ROAD
TRENT VALLEY ROAD
CHURCH ST.
TAMWORTH ROAD
RINGWAY INDUSTRIAL ESTATE
TRENT VALLEY INDUSTRIAL SITE
LICHFIELD BUSINESS CENTRE
CROSSFIELD INDUSTRIAL ESTATE
ENTERPRISE INDUSTRIAL PARK
BOLEY PARK SHOPPING CENTRE
Factory
The Cottage
Brownsfields Farm
Charnwood Prim. Sch.
Club
Spts Grd.
Warehouse
Works
Bowl. Grn.
Depot
Prim. Sch.
The Poplars
Wissage Hill
Stowe Hill
Stowe Ho.
Rocklands Sch.
ST. MICHAEL'S HOSP.
St. Chad's C.of E. Prim. Sch.
Superstores
Schs.
Adult Training Cen.
Saxon Hill Sch.
King Edward VI Sch.
Playing Field
Ten. Ct.
Play. Fld.
Leisure Centre
Borrowcop Hill
Quarry Lodge
Darnford Park
Fulfen Farm
Mill Field Bungalow
Mill House
Darnford Bridge Farm
TRENT VALLEY COTTS.
WS14

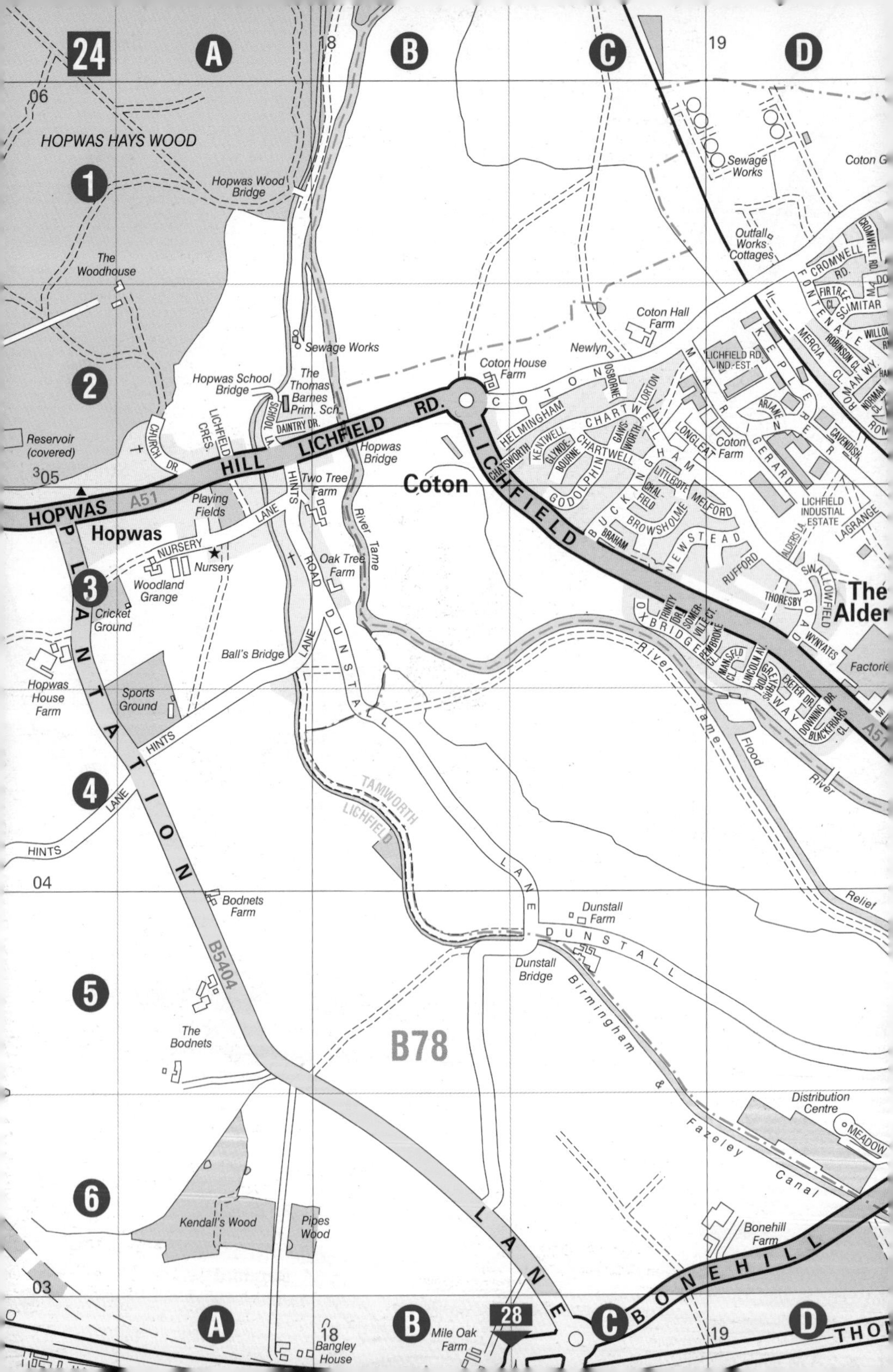
A
B
C
D
18
19
06
05
04
03
1
2
3
4
5
6
HOPWAS HAYS WOOD
Hopwas Wood Bridge
The Woodhouse
Reservoir (covered)
Hopwas School Bridge
Sewage Works
The Thomas Barnes Prim. Sch.
DAINTRY DR.
CHURCH DR
LICHFIELD CRES.
SCHOOL LA.
HOPWAS HILL LICHFIELD RD.
A51
Hopwas Bridge
Two Tree Farm
Playing Fields
Hopwas
NURSERY LANE
Nursery
Woodland Grange
Cricket Ground
Oak Tree Farm
River Tame
Coton
Coton House Farm
Newlyn
Coton Hall Farm
Sewage Works
Outfall Works Cottages
Coton G
COTON
OSBORNE
HELMINGHAM
CHATSWORTH
KENTWELL
GLYNDE-BOURNE
CHARTWELL
GAWSWORTH
LORTON
GODOLPHIN
LONGLEAT
Coton Farm
LITTLECOTE
CHALFIELD
MELFORD
BUCKINGHAM
BROWSHOLME
BRAHAM
NEWSTEAD
LICHFIELD
LICHFIELD RD. IND. EST.
MARIGERARD
KEPLER
ARIANE
CROMWELL RD.
CROMWELL RD.
FONTENAYE
FIRTREE CL.
SCIMITAR
MERCIA CL.
ROBINSON CL.
ROMAN WY.
NORMAN CL.
CAVENDISH
LICHFIELD INDUSTIAL ESTATE
LAGRANGE
ALDERS LA.
RUFFORD
THORESBY
SWALLOWFIELD ROAD
The Alder
WYNYATES
Factorie
TRINITY DR.
SOMERVILLE CT.
OXBRIDGE
PEMBROKE CL.
MANSFELD CL.
LINCOLN AV.
GREYFRIARS
EXETER DR.
GREYFRIARS WAY
DOWNING DR.
BLACKFRIARS CL.
A51
River Tame
Flood Relief
River
Hopwas House Farm
Sports Ground
Ball's Bridge
HINTS ROAD
LANE
DUNSTALL
HINTS LANE
HINTS
PLANTATION
TAMWORTH
LICHFIELD
LANE
Bodnets Farm
Dunstall Farm
DUNSTALL
Dunstall Bridge
B5404
The Bodnets
B78
Birmingham & Fazeley Canal
Distribution Centre
MEADOW
Kendall's Wood
Pipes Wood
LANE
Bonehill Farm
BONEHILL
Mile Oak Farm
Bangley House
28
THO

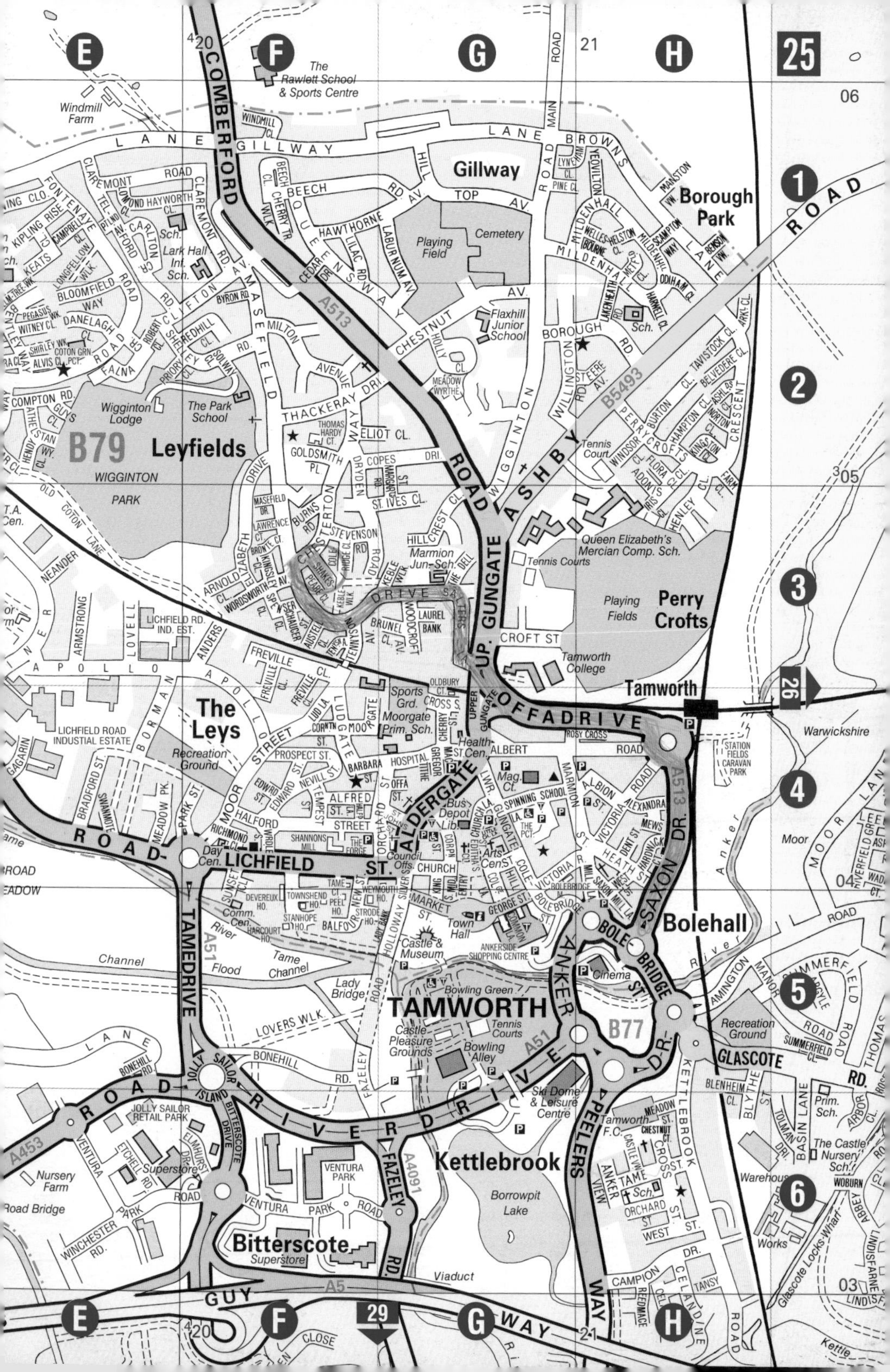

E
F
G
H
The Rawlett School & Sports Centre
Windmill Farm
Gillway
Borough Park
Playing Field
Cemetery
Lark Hall Inf. Sch.
Flaxhill Junior School
Wigginton Lodge
The Park School
B79
Leyfields
WIGGINTON PARK
Queen Elizabeth's Mercian Comp. Sch.
Marmion Jun. Sch.
Playing Fields
Perry Crofts
Tamworth College
Tamworth
LICHFIELD RD. IND. EST.
LICHFIELD ROAD INDUSTRIAL ESTATE
The Leys
Recreation Ground
Sports Grd.
Moorgate Prim. Sch.
Health Cen.
Warwickshire
STATION FIELDS CARAVAN PARK
Bolehall
Castle & Museum
Town Hall
ANKERSIDE SHOPPING CENTRE
Cinema
TAMWORTH
Castle Pleasure Grounds
Tennis Courts
Bowling Alley
Bowling Green
Ski Dome & Leisure Centre
Kettlebrook
Borrowpit Lake
Tamworth F.C.
JOLLY SAILOR RETAIL PARK
Superstore
VENTURA PARK
Bitterscote
Nursery Farm
Recreation Ground
The Castle Nursery Sch.
Works
B77
A513
A51
A453
A5
A4091
B5493
COMBERFORD ROAD
GILLWAY LANE
ASHBY ROAD
UP. GUNGATE
OFFA DRIVE
LICHFIELD ST.
LICHFIELD ROAD
ALDERGATE
TAMEDRIVE
RIVER DRIVE
ANKER DR.
PEELERS WAY
SAXON DR.
BOLE BRIDGE
GLASCOTE RD.
GUY WAY
FAZELEY RD.
MOOR LANE
Viaduct
River Tame
Anker
29
26
1
2
3
4
5
6

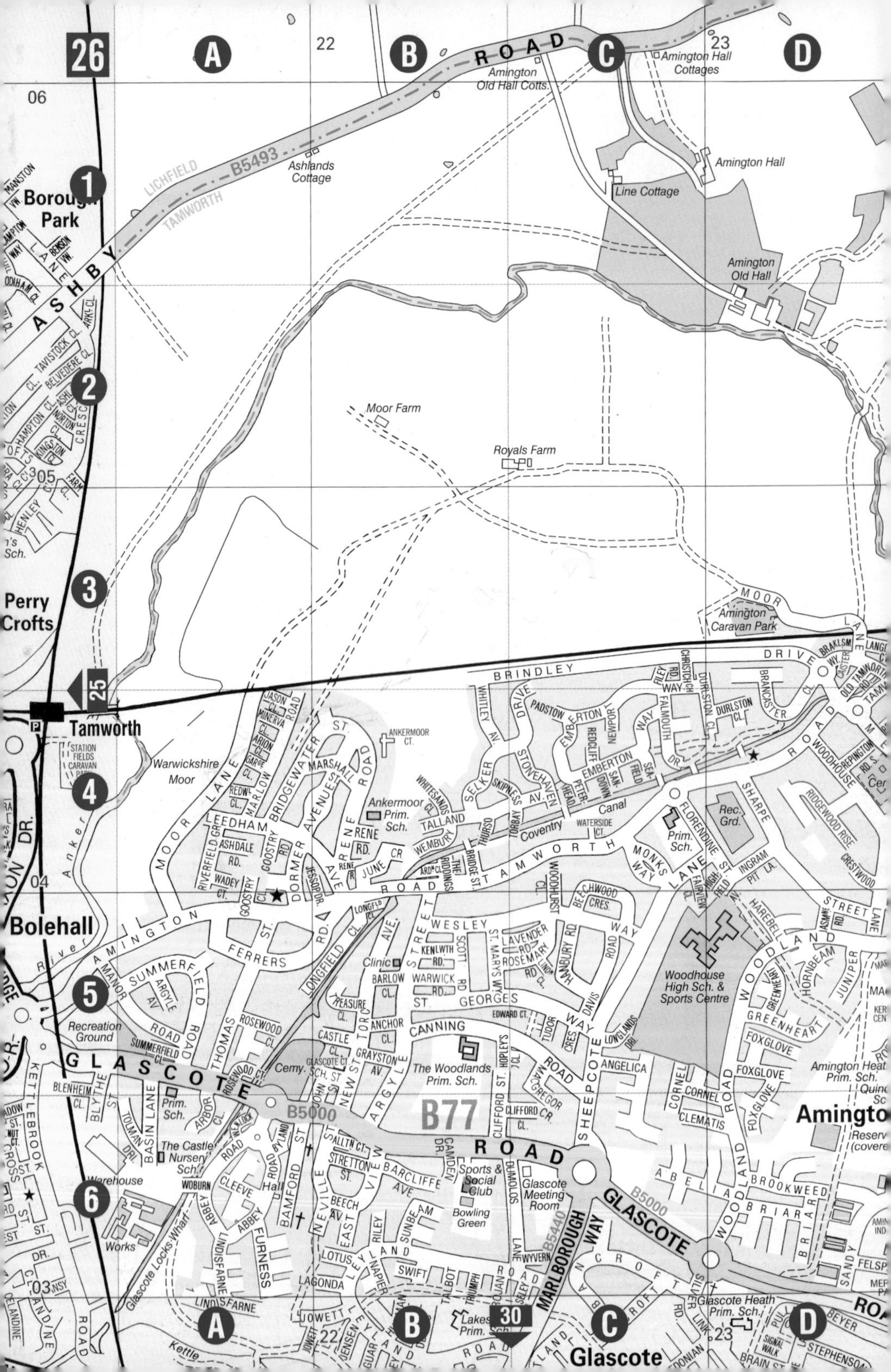
A
B
C
D
22
23
06
05
04
03
1
2
3
4
5
6
LICHFIELD ROAD
B5493
TAMWORTH
ASHBY
Amington Old Hall Cotts.
Amington Hall Cottages
Ashlands Cottage
Amington Hall
Line Cottage
Amington Old Hall
Borough Park
Moor Farm
Royals Farm
Perry Crofts
MOOR LANE
Amington Caravan Park
25
Tamworth
Station Fields Caravan Park
Warwickshire Moor
Bolehall
River Anker
BRINDLEY DRIVE
Coventry Canal
TAMWORTH ROAD
Ankermoor Prim. Sch.
Ankermoor Ct.
Prim. Sch.
Rec. Grd.
Woodhouse High Sch. & Sports Centre
AMINGTON ROAD
FERRERS
Recreation Ground
GLASCOTE ROAD
B5000
Cemy.
Clinic
The Woodlands Prim. Sch.
B77
Prim. Sch.
The Castle Nursery Sch.
Warehouse
Works
Glascote Locks Wharf
Sports & Social Club
Bowling Green
Glascote Meeting Room
MARLBOROUGH WAY
B5440
Glascote Heath Prim. Sch.
Lakes Prim. Sch.
30
Glascote
Amington
Amington Heath Prim. Sch.
Reservoir (covered)
WOODLAND ROAD
CANNING ROAD
SHEEPCOTE LANE
KETTLEBROOK ROAD

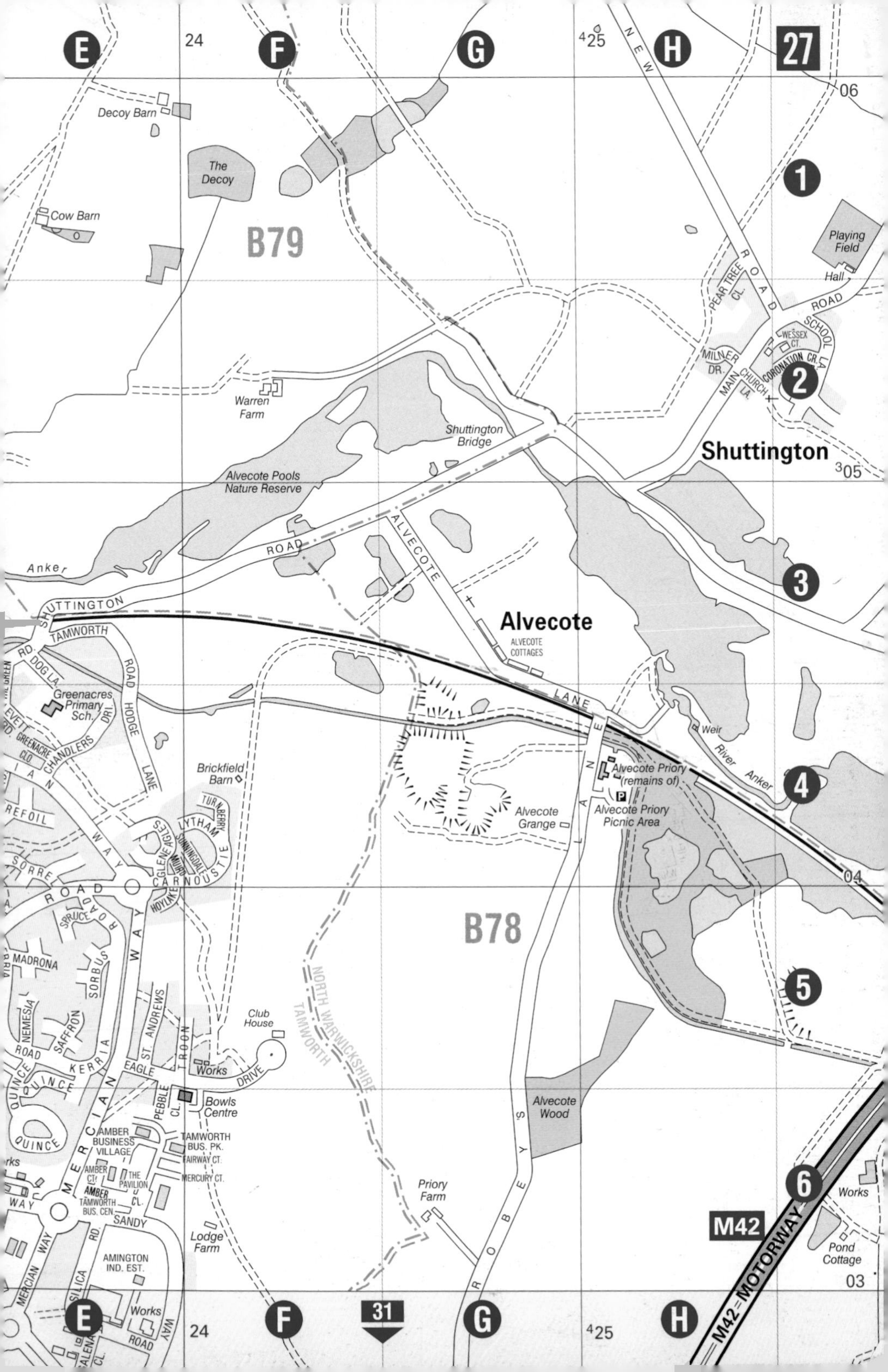
E
24
F
G
425
H
06
Decoy Barn
The Decoy
Cow Barn
B79
NEW ROAD
1
Playing Field
Hall
PEAR TREE CL.
ROAD
SCHOOL LA.
WESSEX CT.
CORONATION CR.
MILNER DR.
MAIN
CHURCH LA.
2
Warren Farm
Shuttington Bridge
Shuttington
305
Alvecote Pools Nature Reserve
ROAD
ALVECOTE
Anker
SHUTTINGTON
3
Alvecote
ALVECOTE COTTAGES
TAMWORTH
RD.
DOG LA.
Greenacres Primary Sch.
ROAD
HODGE
LANE
LANE
LANE
Weir
River
Anker
4
GREENACRE CLO.
CHANDLERS DRI.
Brickfield Barn
Alvecote Priory (remains of)
Alvecote Priory Picnic Area
Alvecote Grange
REFOIL
SORREL
TURNBERRY
LYTHAM
GLENEAGLES
SUNNINGDALE
MUIRFIELD
CARNOUSTIE
HOYLAKE
WAY
ROAD
04
SPRUCE
ROAD
B78
MADRONA
SORBUS
NEMESIA
SAFFRON
ROAD
KERRIA
QUINCE
ST. ANDREWS
TROON
EAGLE
Club House
Works
DRIVE
NORTH WARWICKSHIRE
TAMWORTH
5
PEBBLE CL.
Bowls Centre
Alvecote Wood
AMBER BUSINESS VILLAGE
TAMWORTH BUS. PK.
FAIRWAY CT.
MERCURY CT.
AMBER CT.
THE PAVILION
AMBER
TAMWORTH BUS. CEN.
CL.
SANDY
MERCIAN
WAY
Priory Farm
ROBEYS
6
Works
M42
Pond Cottage
Lodge Farm
AMINGTON IND. EST.
RD.
MERCIAN WAY
SILICA
03
E
Works
ROAD
WAY
24
F
31
G
425
H
M42 MOTORWAY

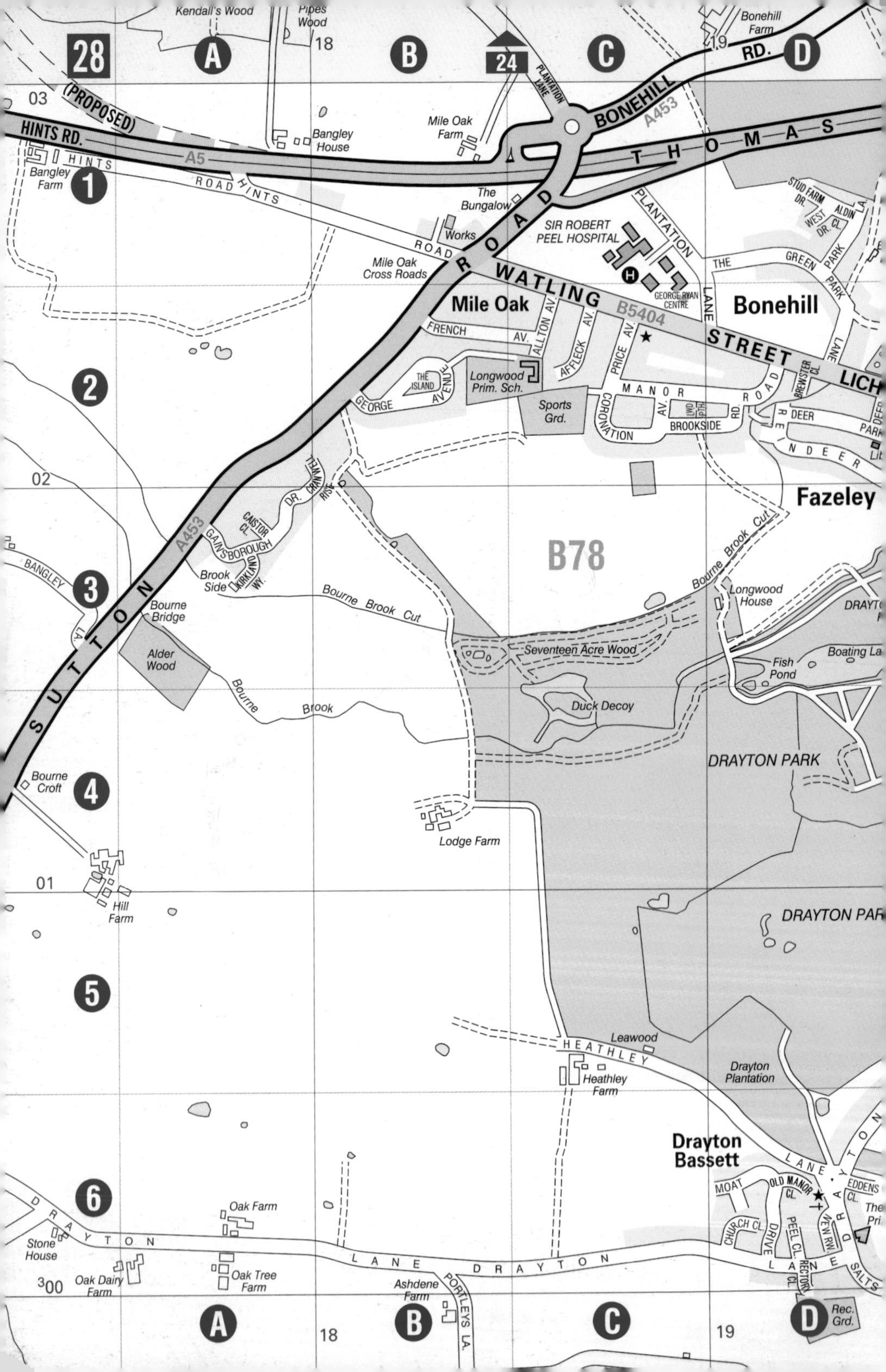

24
A
B
C
D
1
2
3
4
5
6
Kendall's Wood
Pipes Wood
Bonehill Farm
BONEHILL RD.
A453
THOMAS
HINTS RD.
(PROPOSED)
A5
Bangley House
Mile Oak Farm
PLANTATION LANE
Bangley Farm
HINTS ROAD
The Bungalow
Works
SIR ROBERT PEEL HOSPITAL
PLANTATION LANE
GEORGE RYAN CENTRE
STUD FARM DR.
ALDIN LA.
WEST DR.
CL.
THE GREEN
PARK
Mile Oak Cross Roads
ROAD
WATLING STREET
B5404
Mile Oak
Bonehill
FRENCH AV.
ALLTON AV.
AFFLECK AV.
PRICE AV.
THE ISLAND
AVENUE
GEORGE
Longwood Prim. Sch.
Sports Grd.
MANOR ROAD
CORONATION AV.
BROOKSIDE
RD.
BREWSTER CL.
DEER PARK
REINDEER
LICH
Fazeley
B78
SUTTON ROAD
CRANMER RISE
DR.
CAISTOR CL.
GAINSBOROUGH
KIRKLAND WY.
Brook Side
BANGLEY LA.
Bourne Bridge
Alder Wood
Bourne Brook Cut
Bourne Brook
Longwood House
Seventeen Acre Wood
Fish Pond
Boating La
Duck Decoy
DRAYTON PARK
Bourne Croft
Lodge Farm
Hill Farm
DRAYTON PAR
HEATHLEY
Leawood
Heathley Farm
Drayton Plantation
Drayton Bassett
LANE
DRAYTON
MOAT
OLD MANOR CL.
EDDENS CL.
CHURCH CL.
DRIVE
PEEL CL.
NEW RW.
RECTORY CL.
SALTS
Oak Farm
Stone House
DRAYTON LANE
Oak Dairy Farm
Oak Tree Farm
Ashdene Farm
PORTLEYS LA.
Rec. Grd.
02
03
01
300
18
19

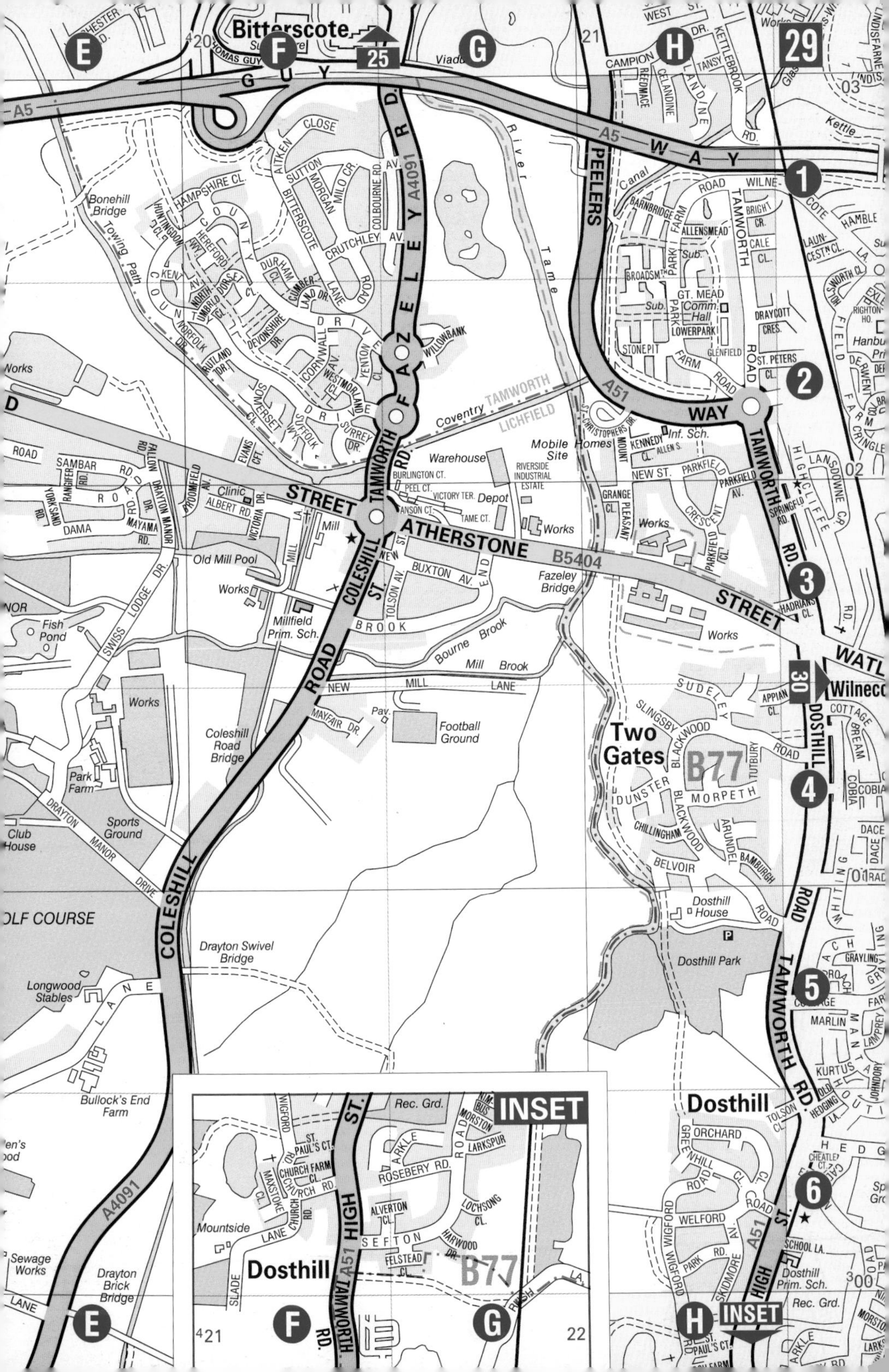

29
Bitterscote
25
30
INSET
Two Gates
Dosthill
B77
A5 WAY
GUY
FAZELEY RD. A4091
TAMWORTH RD.
COLESHILL ROAD
COLESHILL ST.
ATHERSTONE STREET B5404
WATLING STREET
PEELERS WAY A51
TAMWORTH ROAD
DOSTHILL ROAD
HIGH ST.
River Tame
Coventry Canal
Bourne Brook
Mill Brook
Towing Path
Bonehill Bridge
Fazeley Bridge
Coleshill Road Bridge
Drayton Swivel Bridge
Drayton Brick Bridge
Old Mill Pool
Fish Pond
Works
Clinic
Mill
Depot
Warehouse
Riverside Industrial Estate
Mobile Homes Site
Millfield Prim. Sch.
Football Ground
Sports Ground
Club House
Park Farm
Longwood Stables
Bullock's End Farm
Sewage Works
Dosthill House
Dosthill Park
Dosthill Prim. Sch.
Rec. Grd.
Mountside
GOLF COURSE
Gt. Mead Comm. Hall
Inf. Sch.

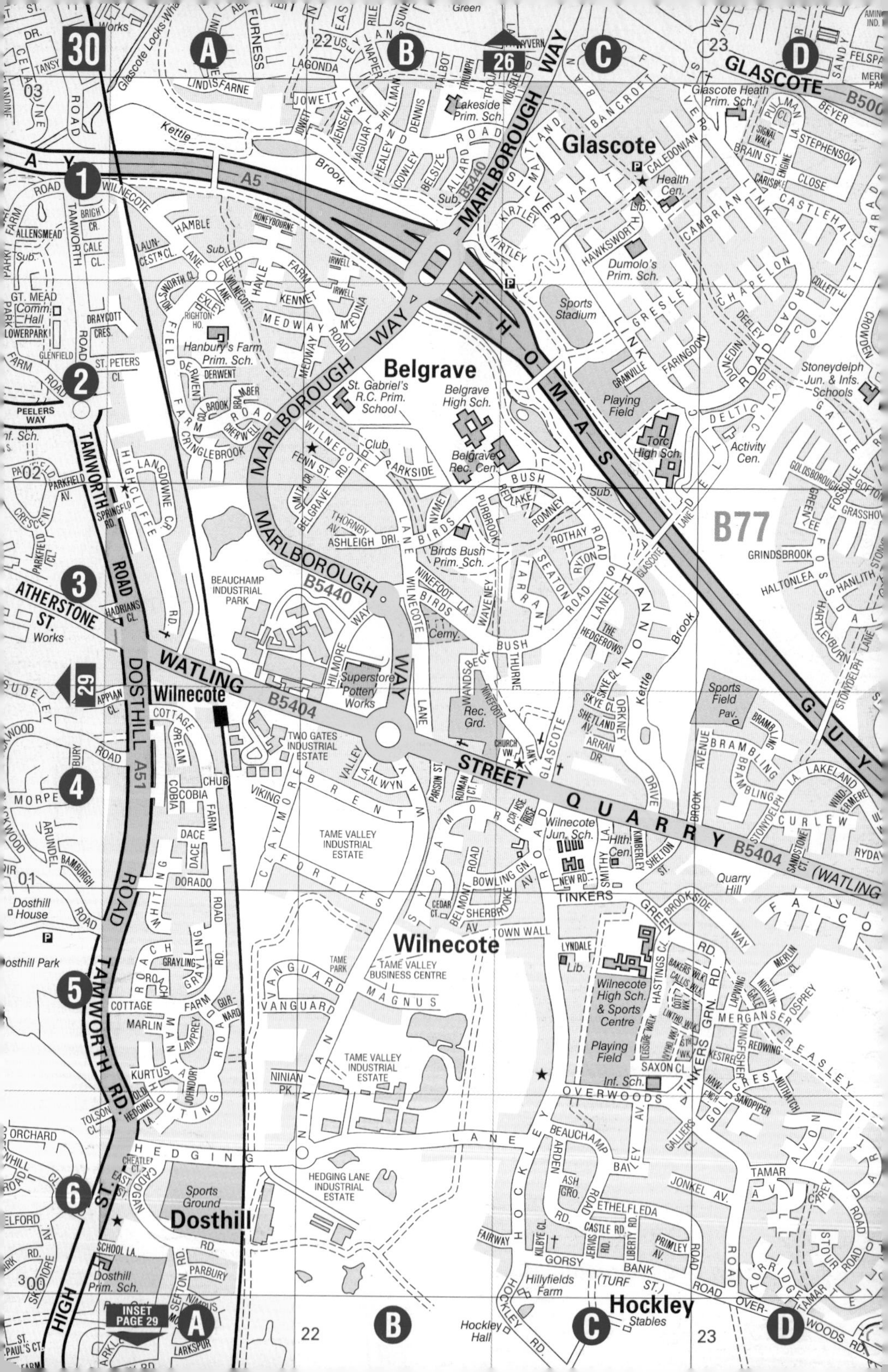
A
B
C
D
26
GLASCOTE
Glascote
Belgrave
Wilnecote
Dosthill
Hockley
B77
MARLBOROUGH WAY
THOMAS GUY WAY
WATLING STREET
QUARRY
A5
A51
B5440
B5404
TAMWORTH ROAD
DOSTHILL ROAD
ATHERSTONE ST.
HEDGING LANE
OVERWOODS RD.
Glascote Heath Prim. Sch.
Lakeside Prim. Sch.
Health Cen.
Dumolo's Prim. Sch.
Sports Stadium
Stoneydelph Jun. & Infs. Schools
Hanbury's Farm Prim. Sch.
St. Gabriel's R.C. Prim. School
Belgrave High Sch.
Belgrave Rec. Cen.
Torc High Sch.
Activity Cen.
Birds Bush Prim. Sch.
BEAUCHAMP INDUSTRIAL PARK
Superstore Pottery Works
TWO GATES INDUSTRIAL ESTATE
TAME VALLEY INDUSTRIAL ESTATE
TAME VALLEY BUSINESS CENTRE
HEDGING LANE INDUSTRIAL ESTATE
Wilnecote Jun. Sch.
Wilnecote High Sch. & Sports Centre
Playing Field
Inf. Sch.
Sports Field
Quarry Hill
Sports Ground
Dosthill Prim. Sch.
Dosthill House
Dosthill Park
Hillyfields Farm
Hockley Hall
Stables
INSET PAGE 29
1
2
3
4
5
6
22
23
03
02
01
00

27

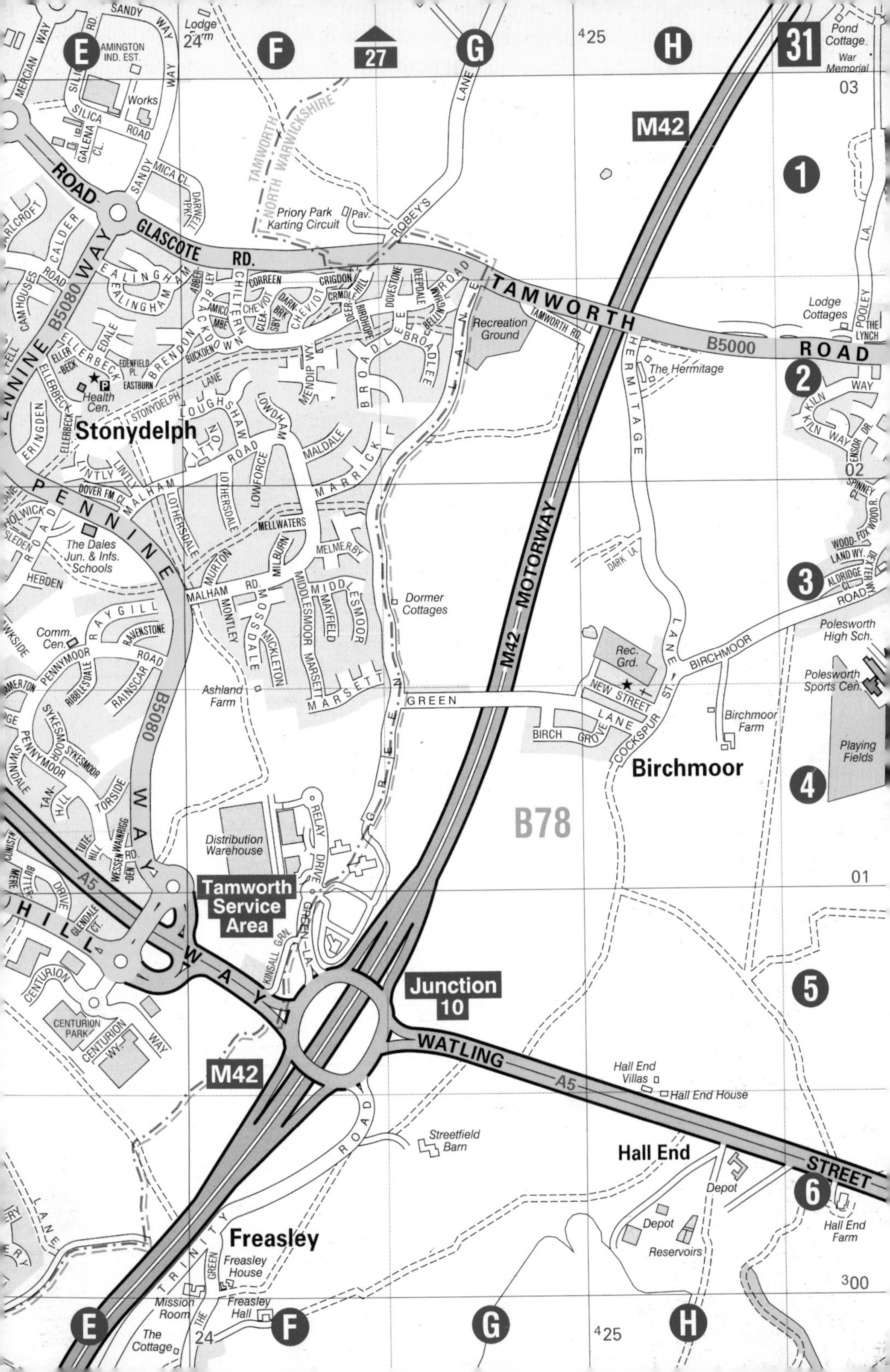
E
F
G
H
1
2
3
4
5
6
425
03
02
01
300
24
M42
M42 MOTORWAY
Junction 10
Tamworth Service Area
Stonydelph
Birchmoor
Freasley
Hall End
B78
GLASCOTE RD.
TAMWORTH ROAD
B5000
PENNINE WAY
B5080
WATLING STREET
A5
ROBEY'S LANE
GREEN LANE
TAMWORTH
NORTH WARWICKSHIRE
Priory Park Karting Circuit
Pav.
Recreation Ground
The Hermitage
HERMITAGE LANE
DARK LA.
Dormer Cottages
Ashland Farm
Distribution Warehouse
RELAY DRIVE
KINSALL GRN.
Rec. Grd.
NEW STREET
BIRCH GROVE
COCKSPUR ST.
BIRCHMOOR ROAD
Birchmoor Farm
Polesworth High Sch.
Polesworth Sports Cen.
Playing Fields
Lodge Cottages
POOLEY LA.
THE LYNCH
KILN WAY
ENSOR DR.
SPINNEY CL.
WOODLAND WY.
ALDRIDGE CL.
DEXTER WY.
FOXWOOD R.
Pond Cottage
War Memorial
Lodge Farm
SANDY WAY
AMINGTON IND. EST.
Works
SILICA ROAD
GALENA CL.
MICA CL.
DARWELL PK.
MERCIAN WAY
CALDER
CAM HOUSES
EALINGHAM
CHILTERN
CORREEN
CRIGDON
CHEVIOT
DOVESTONE
DEEPDALE
BELLINGHAM
BROADLEE
BLACKDOWN
BRENDON
BUCKDEN
MENDIP WY.
EDALE
ELLERBECK
EDENFIELD PL.
EASTBURN
Health Cen.
ERINGDEN
STONYDELPH LANE
LOUGHSHAW
LOWDHAM
LITTON
MALDALE
MARRICK
LINTLY
DOVER FM. CL.
MALHAM ROAD
LOTHERSDALE
LOWFORCE
MELLWATERS
MELMERBY
MILBURN
MURTON
MONTLEY
MOSSDALE
MIDDLESMOOR
MAYFIELD
MARSETT
MICKLETON
HOLWICK
SLEDEN
HEBDEN
The Dales Jun. & Infs. Schools
Comm. Cen.
RAYGILL
RAVENSTONE ROAD
PENNYMOOR
RIBBLESDALE
RAINSCAR
SYKESMOOR
SWINDALE
TAN-HILL
TORSIDE
TUTE-HILL
WAINRIGG
WESSENDEN RD.
GLENDALE CT.
BUTTERMERE DRIVE
CENTURION PARK
CENTURION WY.
CENTURION WAY
Hall End Villas
Hall End House
Streetfield Barn
Depot
Reservoirs
Hall End Farm
TRINITY ROAD
Freasley House
Mission Room
Freasley Hall
The Cottage
THE GREEN

INDEX

Including Streets, Places & Areas, Industrial Estates, Selected Subsidiary Addresses and Selected Places of Interest.

HOW TO USE THIS INDEX

1. Each street name is followed by its Posttown or Postal Locality and then by its map reference; e.g. Abbey Rd. *Glas* —6A **26** is in the Glascote Postal Locality is to be found in square 6A on page **26**. The page number being shown in bold type.
   A strict alphabetical order is followed in which Av., Rd., St., etc. (though abbreviated) are read in full and as part of the street name; e.g. Ash La. appears after Ashlands Clo. but before Ashleigh Dri.

2. Streets and a selection of Subsidiary names not shown on the Maps, appear in the index in *Italics* with the thoroughfare to which it is connected shown in brackets; e.g. *Aspbury Ct. Tam —6B **26** (off Neville St.)*

3. Places and areas are shown in the index in **bold type**, the map reference referring to the actual map square in which the town or area is located and not to the place name; e.g. **Alders, The. —3D 24**

4. An example of a selected place of interest is Alvecote Pools Nature Reserve. —2F 27

GENERAL ABBREVIATIONS

All : Alley
App : Approach
Arc : Arcade
Av : Avenue
Bk : Back
Boulevd : Boulevard
Bri : Bridge
B'way : Broadway
Bldgs : Buildings
Bus : Business
Cvn : Caravan
Cen : Centre
Chu : Church
Chyd : Churchyard
Circ : Circle
Cir : Circus
Clo : Close
Comn : Common
Cotts : Cottages
Ct : Court
Cres : Crescent
Cft : Croft
Dri : Drive
E : East
Embkmt : Embankment
Est : Estate
Fld : Field
Gdns : Gardens
Gth : Garth
Ga : Gate
Gt : Great
Grn : Green
Gro : Grove
Ho : House
Ind : Industrial
Info : Information
Junct : Junction
La : Lane
Lit : Little
Lwr : Lower
Mc : Mac
Mnr : Manor
Mans : Mansions
Mkt : Market
Mdw : Meadow
M : Mews
Mt : Mount
Mus : Museum
N : North
Pal : Palace
Pde : Parade
Pk : Park
Pas : Passage
Pl : Place
Quad : Quadrant
Res : Residential
Ri : Rise
Rd : Road
Shop : Shopping
S : South
Sq : Square
Sta : Station
St : Street
Ter : Terrace
Trad : Trading
Up : Upper
Va : Vale
Vw : View
Vs : Villas
Vis : Visitors
Wlk : Walk
W : West
Yd : Yard

POSTTOWN AND POSTAL LOCALITY ABBREVIATIONS

A'cte : Alvecote
Amin : Amington
Arm : Armitage
B'moor : Birchmoor
Bol : Bolehall
Bone : Bonehill
Bre : Brereton
B'twn : Bridgtown
Brit E : Britannia Enterprise Pk.
Bmhll : Broomhill
Bwnhls : Brownhills
Burn : Burntwood
Cann : Cannock
Cann W : Cannock Wood
C'mr : Chadsmoor
C Ter : Chase Terrace
Chase : Chasetown
C Hay : Cheslyn Hay
Chor : Chorley
C'bri : Churchbridge
Dord : Dordon
Dost : Dosthill
Dray B : Drayton Bassett
Ess : Essington
Fare : Farewell
Faz : Fazeley
Glas : Glascote
Gt Wyr : Great Wyrley
Hamm : Hammerwich
Hand : Handsworth
Haz S : Hazel Slade
Hth H : Heath Hayes
Hth T : Heath Town
Hed : Hednesford
Hltn : Hilton
Hints : Hints
H'ley : Hockley
Hop : Hopwas
Hudd : Huddlesford
Hunt : Huntington
Kett : Kettlebrook
K'bry : Kingsbury
Lich : Lichfield
L'wth : Littleworth
M Oak : Mile Oak
Nort C : Norton Canes
Pels : Pelsall
Penk : Penkridge
Picc : Piccadilly
Pole : Polesworth
Rug : Rugeley
Share : Shareshill
Shen W : Shenstone Wood End
Shut : Shuttington
Spring : Springhill
S'hay : Streethay
Tam : Tamworth
Two G : Two Gates
Wals : Walsall
Wedg M : Wedges Mills
Wiln : Wilnecote
Wim : Wimblebury

INDEX

Abberley. *Wiln* —2F **31**
Abbey Rd. *Glas* —6A **26**
Abbey St. *Cann* —3G **7**
Abbots Fld. *Cann* —5D **6**
Abbotsford Rd. *Lich* —5F **23**
Abbots Wlk. *Rug* —6B **4**
Abelia. *Tam* —6C **26**
Abnalls Cft. *Lich* —3B **22**
Abnalls La. *Lich* —4H **15**
Acacia Gro. *Cann* —1C **12**
Achilles Clo. *Wals* —5E **17**
(in two parts)
Acorn Clo. *Burn* —3B **14**
Acorn Clo. *Cann* —2H **11**
Acorn Clo. *Gt Wyr* —5F **17**
Acorn Starter Units. *Burn* —5G **13**
Adam Ct. *Cann* —3C **10**
Adamson Clo. *Cann* —3A **10**
Addison Clo. *Cann* —5D **6**
Adelaide Dri. *Cann* —1C **12**
Adonis Clo. *Tam* —2H **25**
Affleck Av. *M Oak* —2C **28**
Aidens Ct. *Lich* —5E **23**
Aintree Clo. *Cann* —4C **8**
Aitken Clo. *Tam* —1F **29**
Ajax Clo. *Wals* —5E **17**
Albany Dri. *Rug* —1C **4**
Albert Davie Dri. *Cann* —6B **8**
Albert Rd. *Faz* —3F **29**
Albert Rd. *Tam* —4G **25**
Albert St. *Cann* —6D **6**
Albert St. *Hed* —5A **8**
Albion Pl. *Cann* —6D **6**
Albion Rd. *Wals* —6H **19**
Albion St. *Rug* —3D **4**
Albion St. *Tam* —4H **25**
Albion Way. *Burn* —3A **14**
Albutts Rd. *Wals* —3D **18**
Alden Hurst. *Burn* —4A **14**
Alder Clo. *Lich* —5H **23**
Aldergate. *Tam* —4G **25**
Alders La. *Tam* —3D **24**
Alders, The. —3D 24
Alder Way. *Cann* —4D **8**
Aldin Clo. *Bone* —1D **28**
Aldridge Clo. *B'moor* —3H **31**
Alexandra Ho. *Lich* —5C **22**
Alexandra M. *Tam* —4H **25**
Alfred St. *Tam* —4F **25**
Allard. *Tam* —1B **30**
Allen Birt Wlk. *Rug* —1C **4**
Allensmead. *Tam* —1H **29**
Allen St. *Tam* —2H **29**
Allport Rd. *Cann* —3D **10**
Allport St. *Cann* —2D **10**
Allton Av. *M Oak* —2C **28**
Allton Ct. *Tam* —6B **26**
Almond Clo. *Cann* —2H **11**
Almond Rd. *Cann* —2C **6**
Alnwick Clo. *Cann* —2B **12**
Alpha Way. *Wals* —6F **17**
Alpine Dri. *Cann* —6A **8**
Alston Clo. *Cann* —2B **12**
Alton Gro. *Cann* —3A **10**
Alvecote. —3G 27
Alvecote La. *A'cte* —3G **27**
Alvecote Pools Nature Reserve. —2F 27
Alvecote Priory. —4H 27
Alverton Clo. *Dost* —6F **29**
Alvis Clo. *Tam* —2E **25**
Alwyn. *Wiln* —4B **30**
Alwyn Clo. *Wals* —3E **17**
Amber Bus. Village. *Tam* —6E **27**
Amber Clo. *Tam* —6E **27**
Amber Ct. *Tam* —6E **27**
Amber Gro. *Cann* —2H **11**
Amicombe. *Wiln* —2F **31**
Amington. —6D 26
Amington Ind. Est. *Tam* —6D **26**
Amington Rd. *Tam* —5H **25**
Anchor Clo. *Tam* —5B **26**
Anders. *Tam* —3F **25**
Andover Pl. *Cann* —6F **7**
Aneurin Bevan Pl. *Rug* —2C **4**
Angelica. *Tam* —5C **26**
Anglesey Bus. Pk. *Cann* —6B **8**
Anglesey Clo. *Burn* —2H **19**
Anglesey Cres. *Wals* —4A **20**
Anglesey M. *Cann* —5H **7**
Anglesey Rd. *Lich* —2D **22**
Anglesey Rd. *Wals* —4A **20**
Anglesey St. *Cann* —5G **7**
Anglia Rd. *Cann* —1C **10**
Angorfa Clo. *Lich* —5B **22**
Anker Clo. *Burn* —6E **15**
Anker Dri. *Tam* —5G **25**
Ankermoor Ct. *Tam* —4B **26**
Ankerside Shop. Cen. *Tam* —5G **25**
Anker Vw. *Tam* —6H **25**
Anne Cres. *Cann* —4D **6**
Anson Av. *Lich* —4C **22**
Anson Clo. *Burn* —5D **14**
Anson Clo. *Wals* —5E **17**
Anson Ct. *Faz* —3G **29**
Anson M. *Rug* —3E **5**
Anson Rd. *Gt Wyr* —5E **17**
Anson St. *Rug* —3D **4**
(in two parts)
Anstree Clo. *C Hay* —5C **16**
Ansty Dri. *Cann* —3A **12**
Antler Dri. *Rug* —2A **4**
Apex Bus. Pk. *Nort C* —1C **18**
Apollo. *Tam* —3E **25**
Apollo Clo. *Cann* —5F **7**
Appian Clo. *Tam* —4H **29**
Appledore Clo. *Cann* —1B **12**
Appledore Clo. *Gt Wyr* —3F **17**
Apple Wlk. *Cann* —2H **11**
Arbor Clo. *Tam* —6A **26**
Arch St. *Rug* —4E **5**
Arden Clo. *Amin* —4B **26**
Arden Clo. *Rug* —3B **4**
Arden Rd. *H'ley* —6C **30**
Ardgay Dri. *Cann* —3E **7**
Argyle Av. *Tam* —5A **26**
Argyle St. *Tam* —6B **26**
Ariane. *Tam* —2D **24**
Arion Clo. *Tam* —4A **26**
Arkall Clo. *Tam* —2H **25**
Arkle. *Dost* —6G **29**
Armishaw Pl. *Rug* —6B **4**
Armitage Gdns. *Rug* —6G **5**
Armitage La. *Rug* —6B **4**
(in two parts)
Armitage Rd. *Rug* —4E **5**
Armstrong. *Tam* —3E **25**
Arnold Clo. *Tam* —3F **25**
Arnotdale Dri. *Cann* —3E **7**
Arran Clo. *Cann* —1F **11**
Arran Dri. *Wiln* —4C **30**
Arthur Evans Clo. *Rug* —6A **4**
Arthur St. *Cann* —6E **7**
Arthur St. *Wim* —1B **12**
Arthur Wood Pl. *Rug* —2C **4**
Arundel. *Tam* —4H **29**
Ascot Clo. *Lich* —5F **23**
Ascot Dri. *Cann* —4A **10**
Ashbourne Clo. *Cann* —6F **7**
Ashby Rd. *Tam* —3G **25**
Ashdale Clo. *Cann* —3B **6**
Ashdale Rd. *Tam* —4A **26**
Ashgrove. *Burn* —1A **20**
Ash Gro. *Cann* —6E **7**
Ash Gro. *H'ley* —6C **30**
Ash Gro. *Lich* —4G **23**
Ashlands Clo. *Tam* —2H **25**
Ash La. *Wals* —3F **17**
Ashleigh Dri. *Tam* —3B **30**
Ashleigh Rd. *Rug* —5D **4**
Ashley Rd. *Burn* —3G **13**
Ashmall. *Hamm* —2E **21**
Ashmead Rd. *Burn* —4B **14**
Ashmole Clo. *Lich* —6G **23**
Ash Pk. Ind. Est. *Cann* —1G **11**
Ashtree Bank. *Rug* —6F **5**
Ashtree Ct. *Cann* —6C **6**
Ash Vw. *Cann* —2C **6**
Ashworth Ho. *Cann* —6F **7**
*Aspbury Ct. Tam —6B **26***
(off Neville St.)
Aspen Ct. *Cann* —4D **8**
Aspen Gro. *Burn* —4A **14**
Asquith Dri. *Cann* —2H **11**
Athelstan Way. *Tam* —2E **25**
Atherstone St. *Faz* —3G **29**
Attingham Dri. *Cann* —2G **11**
Attlee Cres. *Rug* —5E **5**
Attlee Gro. *Cann* —2H **11**
Attwood Rd. *Burn* —5F **13**
Auchinleck Dri. *Lich* —3E **23**

Augustines Wlk.—Caxton St.

Augustines Wlk. Lich —1C 22
Austin Cote La. Lich —5G 23
Autumn Dri. Lich —2F 23
Avenue Rd. Cann —2B 12
Averill Dri. Rug —2C 4
Avill. H'ley —6D 30
Avon. H'ley —6D 30
Avon Bus. Pk. Cann —5B 10
Avonlea Gdns. Rug —3B 4
Avon Rd. Burn —1A 20
Avon Rd. Cann —5B 10

Backcester La. Lich —4D 22
Backcrofts. Cann —3C 10
Back La. Rug —3D 4
Baden Powell Clo. Rug —4H 9
Badgers Way. Hth H —2A 12
Bailey Av. H'ley —6C 30
Bailey Clo. Cann —6F 7
Bailye Clo. S'hay —3H 23
Baker's La. Lich —5D 22
Baker St. Burn —6A 14
Bakers Wlk. Wiln —5C 30
Bakers Way. Cann —5G 7
Baldwin Gro. Cann —2H 11
Balfour. Tam —5F 25
Balmoral Clo. Lich —6F 23
Balmoral Ct. Cann —5F 7
Balmoral Dri. Cann —3E 7
Balmoral Way. Burn —3H 13
Baltic Clo. Cann —2D 10
Bamburgh. Dost —4H 29
Bamford St. Tam —6A 26
Bampton Av. Burn —4B 14
Banbury Rd. Cann —4B 10
Bancroft. Tam —1C 30
Bangley La. Hints —3A 28
Bank Cres. Burn —1A 20
Bank St. Cann —3B 12
Bank Top. Rug —3C 4
Barbara St. Tam —4F 25
Barber Clo. Cann —2B 12
Barcliffe Av. Tam —6B 26
Barley Clo. Cann —5G 7
Barlow Clo. Tam —5B 26
Barnard Way. Cann —2E 11
Barnbridge. Tam —1H 29
Barn Clo. Lich —1D 22
Barn Clo. Rug —6B 4
Barncroft. Burn —2B 20
Barnetts La. Wals —6A 20
Barnfield Clo. Lich —6D 22
Barnfield Way. Cann —4D 8
Barnswood Clo. Cann —4A 10
Baron Clo. Burn —3H 13
Barracks La. Bwnhls —5D 20
Basin La. Tam —6A 26
Baskeyfield Clo. Lich —5F 23
Batesway. Rug —6B 4
Bath Rd. Cann —5D 6
Bayswater Rd. Rug —3C 4
Beaconfields. Lich —4C 22
Beacon Gdns. Lich —3C 22
Beacon St. Lich —3B 22
Beacon Way. Cann —1C 12
Beauchamp Ind. Est. Wiln —3A 30
Beauchamp Rd. H'ley —6C 30
Beau Ct. Cann —3D 10
Beaudesert. Burn —3B 14
Beaudesert Vw. Cann —5D 8
Beaumont Clo. Wals —4E 17
Beaumont Rd. Wals —4E 17
Bedford Pl. Cann —6G 7
Bedford Way. Rug —6C 4
Beech Av. Tam —6B 26
Beech Clo. Tam —1F 25
Beech Ct. Cann —3G 7
Beech Cres. Burn —6A 14
Beechcroft Ct. Cann —2D 10
Beechen Gro. Burn —4A 14
Beeches Rd. Rug —6F 5
Beeches, The. Rug —1C 4
Beechfield Ri. Lich —4F 23
Beech Gdns. Lich —6E 23
Beech Gro. Cann —2C 6
Beechmere Ri. Rug —2A 4
Beech Pine Clo. Cann —2F 7
Beech Rd. Tam —1F 25
Beech Tree La. Cann —4C 10
Beechwood Bus. Pk. Cann —1G 11
Beechwood Cres. Tam —5C 26
Beecroft Av. Lich —3D 22
Beecroft Rd. Cann —3D 10
Bees La. Rug —3D 4
Belgrave. —2B 30
Belgrave Rd. Tam —3B 30
Bell Clo. Lich —3B 22
Bell Dri. Cann —3H 7
Bellingham. Wiln —2G 31
Bellsize Clo. Cann —1C 18
Bells La. Burn —3A 14
Belmont Av. Cann —2B 10
Belmont Clo. Cann —2E 17
Belmont Rd. Wiln —5B 30
Belsize. Tam —1B 30
Belt Rd. Cann —4E 7
Belvedere Clo. Burn —1A 20
Belvedere Clo. Tam —2H 25
Belvoir. Tam —4H 29
Benches Clo. C Ter —6G 13
Benion Rd. Cann —6E 7
Benson Clo. Lich —3F 23
Benson Vw. Tam —1H 25
Bentley Brook La. Cann —4D 8
Bentley Way. Tam —2E 25
Bentons La. Wals —5F 17
Berryhill. Cann —6H 7
Berwick Dri. Cann —4A 10
Berwyn Gro. Wals —3E 17
Betty's La. Cann —2C 18
Bevan Lee Rd. Cann —1C 10
Beverley Hill. Cann —3A 8
Bexmore Dri. S'hay —3H 23
Beyer Clo. Tam —1D 30
Biddulph Mobile Homes Pk. Burn —3G 13
Bideford Way. Cann —4A 10
Bilberry Bank. Cann —4D 6
Bilberry Clo. Rug —3B 4
Bilberry Cres. Cann —5B 6
Birch Av. Bwnhls —6H 19
Birch Av. Burn —6A 14
Birch Av. Cann —4B 10
Birchfields Dri. Cann —3A 12
Birch Gro. B'moor —4G 31
Birch Gro. Lich —4F 23
Birch La. Rug —6E 5
Birchmoor. —4H 31
Birchmoor Rd. B'moor —3H 31
Birch Ter. Burn —3B 14
Birchtree La. Rug —6D 4
Birchwood Rd. Lich —5H 23
Birdhope. Wiln —2F 31
Birds Bush Rd. Tam —3B 30
Bird St. Lich —4C 22
(in two parts)
Birmingham Rd. Shen W & Lich —6A 22
Bishops Grange. Rug —2E 5
Bitterscote. —6F 25
Bitterscote Dri. Bone —6F 25
Bitterscote La. Tam —1F 29
Blackdown. Wiln —2F 31
Blackfords. —1D 10
Blackfriars Clo. Tam —4D 24
Blackroot Clo. Hamm —2E 21
Blackthorn Cres. Cann —4D 8
Blackthorne Av. Burn —2A 20
Blackthorne Rd. Lich —5F 23
Blackwood Rd. Tam —4H 29
Blake Clo. Cann —5F 7
Blandford Gdns. Burn —6D 14
Bleak Ho. Dri. Burn —4G 13
Blenheim Clo. Tam —5H 25
Blenheim Rd. Burn —4B 14
Blenheim Rd. Cann —2E 19
Blewitt St. Cann —4G 7
Blithbury Rd. Rug —1F 5
Blithfield Pl. Cann —3G 11
Blithfield Rd. Wals —4E 19
Bloomfield Cres. Lich —2C 22
Bloomfield Way. Tam —2E 25
Bloomsbury Way. Lich —5G 23
Bluebell Clo. Cann —4G 7
Bluebell La. Wals —5F 17
Bluebird Clo. Lich —4F 23
Blythe Clo. Burn —6E 15
Blythe St. Tam —6H 25
Boat La. Lich —5G 21
Bolebridge M. Tam —4G 25
(off Bolebridge St.)
Bolebridge St. Tam —5G 25
Bolehall. —5H 25
Boley Clo. Lich —5E 23
Boley Cottage La. Lich —5F 23
Boley La. Lich —5F 23
Boleyn Clo. Wals —4C 16
Boley Park. —5G 23
Boley Pk. Shop. Cen. Lich —5G 23
Bondway. Cann —2E 7
Bonehill. —1D 28
Bonehill Rd. M Oak & Tam —1C 28
Boney Hay. —4A 14
Boney Hay Rd. Burn —4C 14
Booth Clo. Lich —2C 22
Booth St. Cann —4G 7
Bore St. Lich —5D 22
Borman. Tam —4E 25
Borough Park. —1H 25
Borough Rd. Tam —2G 25
Borrowcop La. Lich —6E 23
Boston Clo. Hth H —3B 12
Boswell Rd. Cann —6C 6
Boulton Clo. Burn —4D 14
Bourne Av. Faz —2D 28
Bourne Clo. Cann —2A 12
Bower Clo. Lich —2F 23
Bower La. Rug —2A 4
Bowes Dri. Cann —6E 7
Bowling Grn. Av. Wiln —4B 30
Bow St. Rug —3D 4
(in two parts)
Boydon Clo. Cann —3A 10
Bracken Clo. Burn —5D 14
Bracken Clo. Cann —2A 8
Bracken Clo. Lich —6G 23
Brackenhill Rd. Burn —4B 14
Bracken Rd. Cann —5B 6
Bracken Way. Rug —2B 4
Bracklesham Way. Amin —3D 26
Bradbury La. Cann —2F 7
Bradford Rd. Wals —6H 19
Bradford St. Cann —5F 7
Bradford St. Tam —4E 25
Bradwell La. Rug —5H 9
Braemar Gdns. Cann —3E 7
Braemar Rd. Cann —2D 18
Braham. Tam —3C 24
Brain St. Glas —1D 30
Bramber. Tam —2A 30
Bramble Dri. Cann —3H 7
Bramble La. Burn —4C 14
Brambles, The. Lich —6F 23
Bramble Way. Rug —3B 4
Brambling. Wiln & Tam —4D 30
Brampton Dri. Cann —2B 12
Brancaster Clo. Amin —3D 26
Brantwood Av. Burn —1B 20
Breadmarket St. Lich —4D 22
Bream. Tam —4A 30
Breeze Av. Cann —1E 19
Brendon. Wiln —2E 31
Brent. Wiln —4B 30
Brereton Hill. Rug —6B 4
Brereton Lodge. Rug —6F 5
Brereton Mnr. Ct. Rug —6B 4
Brereton Rd. Rug —5E 5
Brewery St. Rug —4E 5
Brewster Clo. Faz —2D 28
Briar. Tam —6D 26
Briar Clo. Cann —2F 7
Briar Clo. Rug —3B 4
Briars Way. Cann —6G 9
Brickiln St. Wals —6A 20
Brick Kiln Way. Rug —6A 4
Bridge Av. Wals —1D 16
Bri. Cross Rd. Burn —5A 14
Bridges Cres. Cann —1C 18
Bridges Rd. Cann —1C 18
Bridge St. Amin —4B 26
Bridge St. B'twn —1D 16
Bridgewater St. Tam —4A 26
Bridgtown. —1C 16
Bridgtown Bus. Cen. B'twn —6D 10
Bridle Wlk. Rug —3A 4
Bright Cres. Tam —1H 29
Brindley Bank Rd. Rug —1D 4
Brindley Bus. Pk. Cann —1G 11
Brindley Cres. Cann —3H 7
Brindley Dri. Amin —3C 26
Brindley Heath Rd. Cann —1H 7
Brinkburn Clo. Rug —3A 4
Brisbane Way. Cann —2B 12
Bristol Clo. Cann —3G 11
Britannia Way. Brit E —4G 23
Broadhurst Clo. Cann —1E 7
Broadhurst Grn. Cann —1E 7
Broadhurst Grn. Penk —1A 6
Broadhurst Grn. Rd. Penk —1B 6
Broadlands Ri. Lich —5F 23
Broad La. Hudd —2H 21
Broad La. Lich —5F 23
Broadlee. Wiln —2F 31
Broadmeadow La. Wals —4F 17
Broadoaks Clo. Cann —6C 12
Broadsmeath. Tam —1H 29
Broad St. Cann —6D 10
Broadway. Cann —4E 7
Bronte Ct. Tam —3F 25
Bronte Dri. Cann —2H 11
Brook Av. Wiln —4D 30
Brook Clo. Lich —3C 22
Brook End. Burn —2B 20
Brook End. Faz —3F 29
Brooke Rd. Cann —4E 7
Brookfield Dri. Cann —5D 10
Brooklands Av. Wals —2E 17
Brooklands Rd. Cann —6F 7
Brook La. Gt Wyr —3F 17
Brooklyn Rd. Burn —2B 20
Brooklyn Rd. Cann —3A 12
Brook Rd. Wals —1D 16
Brookside Rd. M Oak —2C 28
Brookside Way. Wiln —5C 30
Brook Sq. Rug —4D 4
Brook Va. Cann —4E 11
Brookweed. Tam —6D 26
Broomfield Av. Faz —3F 29
Broomhill. —6D 6
Broomhill Bank. Cann —1D 10
Broomhill Clo. Cann —6D 6
Brownhills Common. —5G 19
Brownhills Rd. Nort C —6C 12
Brownhills West. —4F 19
Browning Clo. Tam —1E 25
Browning Rd. Burn —5D 14
Brownsfield Rd. Lich —3E 23
(in two parts)
Browns La. Tam —1H 25
Browns Wlk. Rug —3C 4
Browsholme. Tam —3C 24
Brunel Clo. Burn —4C 14
Brunel Clo. Tam —3G 25
Brunswick Rd. Cann —2D 10
Bryans La. Rug —3E 5
Bryans Way. L'wth —6C 8
Buckden. Wiln —2F 31
Buckingham Gdns. Lich —6D 22
Buckingham Pl. Cann —3H 11
Buckingham Rd. Tam —3C 24
Buckland Clo. Cann —3A 12
Buckthorn Clo. Cann —2E 7
Bulldog La. Lich —3D 22
Bullmoor La. Lich —5H 21
Bunyan Pl. Cann —6D 6
Burdock Clo. Cann —1G 11
Burgoyne St. Cann —5F 7
Burleigh Clo. Hed —2F 7
Burleigh Cft. Burn —2B 20
Burlington Ct. Faz —2G 29
Burnfield Dri. Rug —3C 4
Burnham Grn. Cann —4A 10
Burns Clo. Lich —6D 22
Burns Dri. Burn —5D 14
Burns Rd. Tam —3F 25
Burns St. Cann —6E 7
Burnthill La. Rug —5C 4
Burntwood. —6D 14
Burntwood Green. —6F 15
Burntwood Rd. Cann —6D 12
Burntwood Rd. Hamm —2E 21
Burntwood Town Shop. Cen. Burn —5H 13
Burton Clo. Tam —2H 25
Burton Old Rd. Lich —4H 23
(in two parts)
Burton Old Rd. E. Lich —4G 23
Burton Old Rd. W. Lich —4E 23
Burton Rd. S'hay —3H 23
Bush Dri. Rug —3D 4
Buttermere. Wiln —4E 31
Buttermere Clo. Cann —1F 11
Butts Clo. Cann —2B 18
Butts La. Cann —2B 18
Butts Way. Cann —2B 18
Buxton Av. Faz —3G 29
Byland. Glas —6A 26
Byron Av. Lich —6A 22
Byron Clo. Burn —3A 14
Byron Pl. Cann —5D 6
Byron Pl. Rug —2B 4
Byron Rd. Tam —2F 25

Cadman's La. Wals —6H 17
Cadogan Rd. Dost —6A 30
Caister. Amin —3D 26
Caistor Clo. M Oak —3A 28
Calder. Wiln —1E 31
Cale Clo. Tam —1H 29
Caledonian. Tam —1C 30
Californian Gro. Burn —4A 14
Callaghan Gro. Cann —2H 11
Callis Wlk. Wiln —5C 30
Calving Hill. Cann —2D 10
Cambrian. Tam —1C 30
Cambrian La. Rug —1B 4
Cambria St. Cann —6C 6
Camden Dri. Glas —6B 26
Camelot Clo. Cann —6E 7
Camhouses. Wiln —2E 31
Campbell Clo. Rug —2C 4
Campbell Clo. Tam —1E 25
Campion Dri. Tam —6H 25
Campions Av. Wals —4C 16
Camsey La. Burn —4F 15
Canaway Wlk. Rug —2B 4
Canford Pl. Cann —3E 11
Cannel Rd. C Ter —6G 13
Canning Rd. Tam —5B 26
Cannock. —3D 10
Cannock Chase Tourist Info. Cen. —4A 8
Cannock Ind. Cen. Cann —1C 16
Cannock Motor Village. Cann —1G 11
Cannock New Enterprise Cen. Cann —1A 8
Cannock Rd. Burn —5C 14
Cannock Rd. Cann —2E 11
(WS11)
Cannock Rd. Cann —4H 11
(WS12)
Cannock Rd. Hth H & Burn —4C 12
Cannock Shop. Cen. Cann —3D 10
Cannock Wood. —5H 9
Cannock Wood Ind. Est. Cann —4F 9
Cannock Wood Rd. Cann —5E 9
Cannock Wood St. Cann —4D 8
Canterbury Clo. Lich —2E 23
Canterbury Dri. Burn —6E 15
Canterbury Way. Cann —3G 11
Caradoc. Tam —1D 30
Cardigan Av. Rug —6C 4
Cardigan Pl. Cann —5H 7
Cardinal Way. Cann —2C 10
Carey. H'ley —6D 30
Carfax. Cann —4D 10
Carisbrooke. Tam —1D 30
Carlcroft. Wiln —1E 31
Carlisle Rd. Cann —5A 10
Carlton Clo. Cann —3A 12
Carlton Cres. Burn —4B 14
Carlton Cres. Tam —1E 25
Carmel Clo. Cann —5H 7
Carmichael Clo. Lich —5F 23
Carnoustie. Tam —4E 27
Castle Clo. Tam —5B 26
Castle Clo. Wals —4A 20
Castlecroft. Cann —1B 18
Castle Dyke. Lich —5D 22
Castlehall. Tam —1D 30
Castle Ring. —4H 9
Castle Rd. H'ley —6C 30
Castle St. Wals —4A 20
Castle Vw. Tam —6H 25
Cathedral Clo. Lich —4C 22
Cathedral Ri. Lich —4C 22
Catkin Wlk. Rug —2B 4
Catshill Rd. Wals —6B 20
Cavans Clo. Cann —6D 6
Cavan's Wood Cvn. Site, The. Cann —5C 6
Cavendish. Tam —2D 24
Caxton Ct. Cann —4D 10
Caxton St. Cann —4D 10

A-Z Cannock 33

Cecil St.—Durham Dri.

Cecil St. Cann —6E 7
Cedar Av. Wals —6B 20
Cedar Clo. Burn —6B 14
Cedar Clo. Cann —1F 7
Cedar Clo. Lich —5H 23
Cedar Ct. Wiln —5B 30
Cedar Cres. Rug —6A 4
Cedar Dri. Tam —1F 25
Cedarhill Dri. Cann —2E 11
Cedar Rd. Burn —5B 14
Celandine. Tam —6H 25
Celtic Rd. Cann —1D 10
Cemetery Rd. Cann —6C 6
Cemetery St. Wals —4B 16
Central Av. Cann —5E 7
Centurion Pk. Wiln —5E 31
Centurion Way. Wiln —5E 31
Chadsfield Rd. Rug —2D 4
Chadsmoor. —6F 7
Chadswell Heights. Lich —2F 23
Chadwick Ct. Rug —4E 5
Chaffinch Clo. Cann —6G 7
Chalcot Dri. Cann —3E 7
Chalfield. Tam —3C 24
Chalfont Av. Cann —4B 10
Chancery Dri. Cann —3H 7
Chandlers Dri. Tam —4E 27
Chapel Av. Wals —4H 19
Chapel Dri. Wals —4H 19
Chapel La. Cann W —5H 9
Chapel La. Lich —6D 22
Chapelon. Tam —2D 30
Chapelside. Rug —2C 4
Chapel Sq. Wals —3C 16
Chapel St. Bwnhls —4H 19
Chapel St. Burn —4H 13
Chapel St. Hth H —3B 12
Chapel St. Nort C —1B 18
Chaplain Rd. Cann —2B 12
Charlemonte Clo. Cann —1A 12
Charles Clo. C Hay —5C 16
Charlock Gro. Cann —1H 11
Charnwood Clo. Cann —1H 11
Charnwood Clo. Lich —3E 23
Charnwood Clo. Rug —3B 4
Charnwood Ho. Lich —2D 22
Charter Clo. Cann —2B 18
Charterfield Dri. Cann —3H 11
Charters, The. Lich —3D 22
Chartwell. Tam —2C 24
Chase Av. Wals —3E 17
Chaselands. Burn —5G 13
Chaseley Av. Cann —2B 10
Chaseley Clo. Rug —3A 4
Chaseley Cft. Cann —2B 10
Chaseley Gdns. Burn —5D 14
Chaseley Rd. Rug —3A 4
Chase Pk. Ind. Est. Burn —5G 13
Chase Rd. Bwnhls —5B 20
Chase Rd. Burn —1B 20
Chaseside Dri. Cann —1G 11
Chase Side Dri. Rug —3C 4
Chaseside Ind. Est. Cann —1G 11
Chase Terrace. —4H 13
Chasetown. —1A 20
Chasetown Ind. Est. Burn —5H 13
Chase Va. Burn —6H 13
Chase Wlk. Cann —6B 6
Chasewater Heath Bus. Pk. Burn —5F 13
Chasewater Railway & Mus. —3F 19
Chasewater Way. Cann —1C 18
Chasewood Pk. Bus. Cen. Cann —3B 12
Chatsworth. Tam —2B 24
Chatsworth Dri. Cann —6F 7
Chaucer Clo. Lich —6D 22
Chaucer Clo. Tam —3F 25
Chaucer Dri. Burn —3B 14
Chawner Clo. Burn —3H 13
Cheatle Ct. Dost —6A 30
Chequers Ct. Cann —1D 18
Chequers, The. Lich —4E 23
Cherrington Dri. Wals —2E 17
Cherrybank. Cann —4H 7
Cherry Clo. Burn —6A 14
Cherry Orchard. Lich —5E 23
Cherry St. Tam —4G 25
Cherry Tree Rd. Cann —2C 6
Cherry Tree Rd. Nort C —2E 19
Cherry Tree Rd. Rug —6E 5
Cherry Tree Wlk. Tam —1F 25
Cherwell. Tam —2A 30
Cherwell Dri. Wals —4F 19
(in two parts)
Cheslyn Dri. Wals —3C 16
Cheslyn Hay. —3B 16
Chester Clo. Cann —3G 11
Chester Clo. Lich —2E 23
Chesterfield Rd. Lich —6A 22
Chester Rd. N. Bwnhls —5G 19
Chesterton Way. Tam —3F 25
Chestnut Av. Tam —2G 25
Chestnut Clo. Cann —2H 11
Chestnut Clo. Hand —4D 4
Chestnut Ct. Tam —6H 25
Chestnut Dri. C Hay —3C 16
Chestnut Dri. Gt Wyr —3E 17
Chetwynd Clo. Rug —6D 4
Chetwynd Gdns. Cann —1C 10
Cheviot. Wiln —2F 31
Cheviot Dri. Rug —1B 4
Cheviot Ri. Cann —5H 7
Chichester Dri. Cann —3H 11
Chieveley Clo. Rug —3B 4
Chillingham. Tam —4H 29
Chillington Clo. Wals —5E 17
Chiltern Rd. Tam —2F 31
Chorley. —1F 15
Chorley Rd. Burn —3A 14
Christ Chu. Gdns. Lich —5B 22
Christchurch La. Lich —5B 22
Christchurch Rd. Amin —3C 26
Christophers Wlk. Lich —1C 22
Chub. Tam —4A 30
Churchbridge. —1E 17
Church Clo. Dray B —6D 28
Church Clo. Rug —5B 4
Church Cft. Gdns. Rug —2D 4
Church Dri. Hop —2A 24
Chu. Farm Clo. Dost —6F 29
Church Hill. —5A 8
Church Hill. Cann —5H 7
Church La. Hamm —3E 21
Church La. Rug —2A 4
(nr. Mount Rd.)
Church La. Rug —3B 4
(nr. Woodcock Rd.)
Church La. Shut —2H 27
Church La. Tam —4G 25
Church M. Rug —3D 4
Church Rd. Bwnhls —6A 20
Church Rd. Burn —5E 15
Church Rd. Cann —2A 10
Church Rd. Dost —6F 29
Church Rd. Nort C —2B 18
Church St. B'twn —6C 10
Church St. Cann —3D 10
(in two parts)
Church St. C'mr —6F 7
Church St. Chase —1H 19
Church St. Lich —4E 23
(in two parts)
Church St. Rug —3D 4
Church St. Tam —4G 25
Church Va. Cann —2B 18
Church Vw. Rug —6A 4
Church Vw. Wiln —4C 30
Cinder Rd. C Ter —5H 13
City Arc. Lich —5D 22
Claremont Rd. Tam —1E 25
Clarion Way. Cann —5D 6
Clark Cres. Rug —6C 4
Clarke's Av. Cann —1F 7
Claygate Rd. Cann —1B 12
Claymore. Wiln —4A 30
Cleasby. Wiln —2F 31
Cleeton St. Cann —3A 12
Cleeve. Glas —6A 26
Clematis. Tam —6C 26
Cleveland Dri. Cann —6G 7
Cleves Cres. C Hay —5C 16
Clifford Clo. Glas —6C 26
Clifford St. Glas —6B 26
Clifton Av. Cann —5B 10
Clifton Av. Tam —2E 25
Clinton Cres. Burn —4C 14
Clive Rd. Burn —5B 14
Clover Meadows. Cann —3H 11
Clover Ridge. C Hay —3B 16
Coach Ho. La. Rug —3D 4
Coach Ho. Ri. Wiln —4C 30
Coalpit La. Rug —6A 4
Coalway Rd. Rug —6G 5
Cobbett Rd. Burn —5F 13
Cobden Clo. Cann —3H 7
Cobia. Tam —4A 30
Cock All. Lich —5D 22
Cocketts Nook. Rug —1B 4
Cocksparrow La. Cann —6A 6
Cockspur St. B'moor —4H 31
Colbourne Rd. Tam —1F 29
Colbrook. Tam —2A 30
Colehill. Tam —4G 25
Coleridge Clo. Tam —3F 25
Coleshill Rd. Tam & Faz —5E 29
Coleshill St. Faz —3F 29
Colinwood Clo. Wals —5E 17
College La. Tam —4G 25
Collett. Tam —2D 30
Collier Clo. C Hay —4C 16
Collins Hill. Lich —2C 22
Coltman Clo. Lich —5F 23
Colton Rd. Rug —1D 4
Coltsfoot Vw. Wals —4D 16
Columbian Cres. Burn —4A 14
Columbian Dri. Cann —1E 11
Columbian Way. Cann —1E 11
Comberford Rd. Tam —1F 25
Common La. Cann —1F 11
Common La. Tam —5G 25
Common Side. —4D 18
Commonside. Rug —1B 14
Common Vw. Burn —3B 14
Common Vw. Cann —3G 7
Common Wlk. Cann —5B 6
Compton Rd. Tam —2E 25
Condor Gro. Cann —3H 11
Conduit Rd. Nort C —2D 18
Conduit St. Lich —4D 22
Conifer Clo. Cann —2F 7
Coniston. Wiln —4E 31
Coniston Way. Cann —3D 10
Convent Clo. Cann —4C 10
Conway Rd. Cann —4A 10
Copes Dri. Tam —2F 25
Copperfields. Lich —5F 23
Copperkins Rd. Cann —6A 8
Coppermill Clo. Cann —3E 7
Coppice Clo. C Ter —4A 14
Coppice Clo. C Hay —2C 16
Coppice Ct. Cann —5A 10
Coppice Gro. Lich —5H 23
Coppice La. Bwnhls —6F 19
Coppice La. C Hay —2C 16
Coppice La. Hamm —3G 21
Coppice La. Rug —6D 4
Coppice Rd. Rug —6D 4
Coppice Side. Bwnhls —6G 19
Coppice, The. Cann —3B 12
Coppy Nook La. Hamm —1C 20
Copthorne Av. Burn —2A 20
Cornel. Tam —6C 26
Cornfield Dri. Lich —4G 23
Cornhill. Cann —5D 6
Cornwall Av. Tam —2F 29
Cornwall Ct. Rug —6C 4
Cornwall Rd. Cann —5G 7
Coronation Av. M Oak —2C 28
Coronation Cres. Shut —2H 27
Coronation St. Tam —4F 25
Corporation St. Tam —4G 25
Correen. Wiln —2F 31
Corsican Clo. Burn —4B 14
Corsican Dri. Cann —2F 7
Cort Dri. Burn —4C 14
Coton. —2B 24
Coton Grn. Precinct. Tam —2E 25
Coton La. Tam —2C 24
Cotswold Av. Gt Wyr —3E 17
Cotswold Rd. Cann —2F 7
Cottage Clo. Burn —1A 20
(in two parts)
Cottage Clo. Cann —5A 8
Cottage Ct. Burn —1A 20
Cottage Farm Rd. Two G & Dost —4A 30
Cottage La. Burn —1A 20
Cottage Wlk. Wiln —5C 30
Cotton Gro. Cann —1F 7
Cotton Way. Burn —3A 14
Coulson Clo. Burn —3G 13
Coulter La. Burn —4F 15
(in two parts)
Coulthwaite Way. Rug —6E 5
County Dri. Tam —1F 29
Covey Clo. Lich —3F 23
Cowley. Tam —1B 30
Cowley Grn. Cann —2E 7
Cowlishaw Way. Rug —6E 5
Crab La. Cann —1F 11
Crabtree Way. Rug —3B 4
Crane Dri. Burn —2B 20
Crane Fields. Lich —3C 22
Cranfield Rd. Burn —5B 14
Cranleigh Way. Lich —5G 23
Cranmere Clo. C Hay —5C 16
Cranwell Ri. M Oak —2B 28
Craven. Wiln —2D 30
Crescent, The. Burn —3A 14
Crescent, The. Gt Wyr —4F 17
Crestwood. Tam —4D 26
Crestwood Ri. Rug —1B 4
Creswell Green. —3F 15
Cricket La. Lich —6B 22
Crigdon. Wiln —1F 31
Cringlebrook. Tam —2A 30
Croft Av. Cann —1F 7
Croft Gdns. Burn —4B 14
Croft St. Tam —3G 25
Cromdale. Wiln —2F 31
Cromwell Mdw. Lich —6B 22
Cromwell Rd. Cann —3B 12
Cromwell Rd. Tam —1D 24
Crossfell. Wiln —2E 31
Crossfield Ind. Est. Lich —4G 23
Crossfield Rd. Lich —4G 23
Crossings, The. Lich —4G 23
Cross in Hand La. Fare (in two parts) —2A 22
Cross Keys. Lich —4D 22
Cross La. Lich —6F 23
Crossley Stone. Rug —3D 4
Cross Rd. Rug —5D 4
Cross Row. Cann —6E 7
Cross St. Burn —4H 13
Cross St. Cann —1D 16
Cross St. C Hay —4C 16
Cross St. Hth H —3B 12
Cross St. Kett —6H 25
Cross St. Tam —4G 25
Crowden Rd. Wiln —2D 30
Croxley Dri. Cann —1H 11
Crutchley Av. Tam —1F 29
Cuckoo Clo. Cann —1H 11
Cumberland Cres. Burn —4B 14
Cumberland Dri. Tam —2F 29
Cumberland Rd. Cann —6F 7
Cumberledge Hill. Rug —5G 9
Curborough Rd. Lich —1D 22
Curlew. Wiln —4D 30
Curlew Clo. Lich —5G 23
Curlew Hill. Cann —1F 11
Curzon Pl. Rug —5D 4
Cygnet Clo. Hed —3H 7
Cypress Ri. Cann —4D 8

Dace. Tam —4A 30
Daffodil Wlk. Rug —3B 4
Daintry Dri. Hop —2A 24
Daisy Bank. Cann —2E 7
Dale Dri. Burn —5C 14
Dama Rd. Faz —3E 29
Dam St. Lich —4D 22
Danby Dri. Cann —6F 9
Danelagh Clo. Tam —2E 25
Danilo Rd. Cann —3C 10
Darges La. Wals —2E 17
Dark La. B'moor —3H 31
Dark La. Lich —3H 15
Dark La. Wals —5H 17
Darnbrook. Wiln —2F 31
Darnford. —6H 23
Darnford La. Lich —6G 23
Darnford Moors. Lich —6G 23
Darnford Vw. Lich —3G 23
Darnwell Pk. Tam —1F 31
Dart. H'ley —6D 30
Dartmouth Av. Cann —4B 10
Dartmouth Rd. Cann —3C 10
Darwin Clo. Burn —5C 14
Darwin Clo. Cann —2B 12
Darwin Clo. Lich —4C 22
Datteln Rd. Cann —6F 7
David Garrick Gdns. Lich —2D 22
Davidson Rd. Lich —5D 22
Davis Rd. Tam —5C 26
Davy Pl. Rug —6C 4
Dawes La. Wals —5B 20
Dayton Dri. Rug —2B 4
Daywell Ri. Rug —1B 4
Deacon Way. Rug —2E 5
Deakin Av. Wals —5A 20
Deal Av. Burn —4B 14
Deanery Clo. Rug —2D 4
Deans Cft. Lich —4E 23
Deavall Way. Cann —2G 11
Dee Gro. Cann —5C 10
Deeley. Tam —2D 30
Deepdale. Wiln —1G 31
Deer Clo. Nort C —5D 12
Deerfold Cres. Burn —5C 14
Deerhill. Wiln —2F 31
Deerhurst Ri. Cann —4C 8
Deerleap Way. Rug —3B 4
Deer Pk. Rd. Faz —2D 28
Delafield Way. Rug —2B 4
Dell, The. Cann —6C 8
Dell, The. Lich —5B 22
Dell, The. Tam —3G 25
Delta Way. Cann —6C 10
Delta Way Bus. Cen. Cann —6C 10
Deltic. Tam —2D 30
Denbury Clo. Cann —3A 12
Denmark Ri. Cann —3A 8
Dennis. Tam —1B 30
Dent St. Tam —4H 25
Derwent. Tam —2A 30
Derwent Gro. Burn —6E 15
Derwent Gro. Cann —4C 10
Devall Clo. Rug —5D 4
Devereux Ho. Tam —5F 25
Devon Ct. Cann —4D 10
Devon Grn. Cann —4E 11
Devon Rd. Cann —4E 11
Devonshire Dri. Rug —6C 4
Devonshire Dri. Tam —2F 29
Dewsbury Dri. Burn —6D 14
Dexter Way. B'moor —3H 31
Diamond Gro. Cann —1H 11
Dimbles Hill. Lich —3D 22
Dimbles La. Lich —1C 22
Dimbles, The. Lich —1C 22
Dodds La. Lich —1D 14
Dog La. Amin —3E 27
Don Gro. Cann —5C 10
Dorado. Tam —4A 30
Dorchester Rd. Cann —3A 10
Dormer Av. Tam —4A 26
Dorset Clo. Tam —2F 29
Dorset Rd. Cann —3B 12
Dosthill. —6H 29
Dosthill Rd. Two G —4A 30
Dove Clo. Burn —6E 15
Dovedale. Cann —5F 7
Dove Hollow. Cann —6A 8
Dove Hollow. Wals —5E 17
Dovehouse Fields. Lich —6D 22
Dover Farm Clo. Wiln —3E 31
Dovestone. Wiln —2G 31
Downesway. Cann —2B 10
(in two parts)
Downing Dri. Tam —4D 24
Drake Cft. Lich —4E 23
Draycott Cres. Tam —2H 29
Drayton Bassett. —6D 28
Drayton La. Dray B —6A 28
Drayton Mnr. Dri. Faz —3E 29
Drayton Mnr. Dri. Tam —4E 29
Drayton Manor Pk. —3D 28
Drayton Manor Pk. Zoo. —3E 29
(within Drayton Manor Park)
Dryden Rd. Tam —2F 25
Dual Way. Cann —2B 6
Dugdale Clo. Cann —1B 12
Duke Rd. Burn —3H 13
Dumolos La. Glas —6C 26
Dundalk La. Wals —4C 16
Dunedin. Tam —2D 30
Dunstall La. Hop —3B 24
Dunster. Tam —4H 29
Dunston Clo. Wals —6D 16
Dunston Dri. Burn —4B 14
D'Urberville Wlk. Cann —2F 11
Durham Clo. Tam —1F 29
Durham Dri. Rug —6C 4

Durlston Clo.—Hawthorne Cres.

Durlston Clo. *Amin* —3C **26**
Dursley Dri. *Cann* —2A **10**
Dursley Rd. *Burn* —5B **14**
Dyott Clo. *Lich* —3H **23**

Eagle Clo. *Wals* —4C **16**
Eagle Dri. *Tam* —5E **27**
Eagle Gro. *Cann* —3H **11**
Ealingham. *Wiln* —1E **31**
Earl Dri. *Burn* —3H **13**
Eastburn. *Wiln* —2E **31**
E. Butts Rd. *Rug* —3A **4**
E. Cannock Ind. Est. *Cann* —1G **11**
E. Cannock Rd. *Cann* —1G **11**
Eastcote Cres. *Burn* —1B **20**
Eastern Av. *Lich* —2A **22**
Eastern Way. *Cann* —3F **11**
Eastgate. *Cann* —5D **8**
Eastgate St. *Burn* —4H **13**
East St. *Cann* —6D **10**
East St. *Dost* —6A **30**
East Vw. *Tam* —6B **26**
Eastwood Av. *Burn* —4B **14**
Ebenezer St. *Cann* —3F **7**
Edale. *Wiln* —2E **31**
Eddens Wood Clo. *Dray B* —6D **28**
Eden Clo. *Cann* —2B **12**
Edenfield Pl. *Wiln* —2E **31**
Edgar Clo. *Tam* —2E **25**
Edgemoor Mdw. *Cann* —3H **11**
Edgeworth Ho. *Lich* —2C **22**
Edial. —6G 15
Edison Clo. *Cann* —3H **7**
Edmonton Clo. *Cann* —2G **11**
Edward Ct. *Tam* —5B **26**
Edwards Clo. *Rug* —3D **4**
Edward's Rd. *Burn* —1A **20**
Edward St. *Cann* —6D **6**
Edward St. *Tam* —4F **25**
Elder Clo. *Cann* —2H **11**
Elder La. *Burn* —5D **14**
Elderside Clo. *Bwnhls* —6A **20**
Elgar Clo. *Cann* —5D **6**
Elgar Clo. *Lich* —2D **22**
Elias Clo. *Lich* —6G **23**
Eliot Clo. *Tam* —2F **25**
Elizabeth Dri. *Tam* —3F **25**
Elizabeth Rd. *Cann* —4D **6**
Ellerbeck. *Wiln* —2E **31**
(in two parts)
Ellesmere Rd. *Cann* —4A **10**
Elliott Clo. *Cann* —5E **7**
Ellis Wlk. *Cann* —4E **11**
Elmcroft Ct. *Cann* —3D **10**
Elm Gdns. *Lich* —5E **23**
Elm Gro. *Cann* —2C **6**
Elmhurst Dri. *Burn* —2B **20**
Elmhurst Dri. *Tam* —6F **25**
Elmore La. *Rug* —4D **4**
Elm Rd. *Cann* —1E **19**
Elms Dri. *Cann* —3B **10**
Elm Tree Wlk. *Tam* —2E **25**
Elmwood Clo. *Cann* —1F **11**
Elunda Gro. *Burn* —6H **13**
Ely Clo. *Cann* —3G **11**
Emberton Way. *Amin* —4C **26**
Emmanuel Rd. *Burn* —5C **14**
Engine La. *Bwnhls* —6E **19**
Engine La. *Glas* —1D **30**
Ensor Dri. *Pole* —2H **31**
Enterprise Ind. Pk. *Brit E* —4H **23**
Epsom Clo. *Lich* —5F **23**
Erasmus Way. *Lich* —4C **22**
Eringden. *Wiln* —2E **31**
Eskrett St. *Cann* —5G **7**
Essex Dri. *Cann* —6G **7**
Essex Dri. *Rug* —6C **4**
Essington Clo. *Lich* —6C **22**
Estridge La. *Wals* —4F **17**
Etchell Rd. *Tam* —6E **25**
Etching Hill Rd. *Rug* —3A **4**
Ethelfleda Rd. *H'ley* —6C **30**
Eton Ct. *Lich* —6D **22**
Europa Way. *Brit E* —4H **23**
Evans Cft. *Faz* —2F **29**
Everall Pas. *Tam* —4D **24**
Evergreen Heights. *Cann* —2F **7**
Exchange Ind. Est., The. *Cann* —6D **10**
Exeter Dri. *Tam* —3D **24**
Exeter Rd. *Cann* —4A **10**
Exley. *Tam* —2A **30**
Exonbury Wlk. *Cann* —2E **11**

Fairfield Clo. *Cann* —3A **12**
Fairford Gdns. *Burn* —6D **14**
Fair Lady Dri. *Burn* —3G **13**
Fairmount Dri. *Cann* —4D **10**
Fairmount Way. *Rug* —3B **4**
Fair Oaks Dri. *Wals* —6F **17**
Fairview Clo. *C Hay* —4C **16**
Fairview Clo. *Tam* —4C **26**
Fairway. *Cann* —6C **10**
Fairway. *Wiln* —6B **30**
Fairway Ct. *Tam* —6F **27**
Falcon. *Wiln* —5D **30**
Falcon Clo. *Cann* —2B **10**
Falcon Clo. *Wals* —4B **16**
Fallow Fld. *Cann* —1D **10**
Fallow Fld. *Lich* —1E **23**
Fallow Rd. *Faz* —2E **29**
Falmouth Dri. *Amin* —4C **26**
Falna Cres. *Tam* —2E **25**
Farewell Hall M. *Fare* —1H **15**
Farewell La. *Burn* —6F **15**
Faringdon. *Tam* —2C **30**
Farm Clo. *Cann* —1H **11**
Farm Clo. *Rug* —2B **4**
Farm Clo. *Tam* —2H **25**
Fazeley. —2D 28
Fazeley Rd. *Tam* —2G **29**
Featherbed La. *Lich* —1A **22**
Fecknam Way. *Lich* —2E **23**
Felspar Rd. *Tam* —6D **26**
Felstead Clo. *Dost* —6G **29**
Fennel Clo. *Wals* —3C **16**
Fenn St. *Tam* —2B **30**
Ferncombe Dri. *Rug* —2B **4**
Fern Cft. *Lich* —3B **22**
Ferndale Clo. *Burn* —6C **14**
Ferndale Clo. *Lich* —3B **22**
Ferndale Rd. *Lich* —2B **22**
Ferndell Clo. *Cann* —2B **10**
Fern Dri. *Wals* —2F **17**
Fernleigh Av. *Burn* —4B **14**
Fern Rd. *Cann* —5C **6**
Fernwood Cen., The. *Rug* —2C **4**
Fernwood Dri. *Rug* —2C **4**
Ferrers Rd. *Tam* —5A **26**
Ferrie Gro. *Bwnhls* —6H **19**
Festival Ct. *Cann* —5D **6**
Festival M. *Hed* —4E **7**
Fieldfare. *Hamm* —1E **21**
Fld. Farm Rd. *Tam* —1A **30**
Fieldhouse Rd. *Burn* —5B **14**
Fieldhouse Rd. *Cann* —3E **7**
Field La. *Gt Wyr* —3F **17**
Field Pl. *Rug* —5A **4**
Field Rd. *Lich* —1D **22**
Field St. *Cann* —1E **11**
Filey. *Amin* —3C **26**
Filey Clo. *Cann* —4B **10**
Filton Av. *Burn* —4B **14**
Finches Hill. *Rug* —2B **4**
Fir Clo. *Cann* —2C **6**
Fircroft Clo. *Cann* —1F **11**
Firecrest Clo. *Cann* —2H **11**
First Av. *Wals* —6B **20**
Firs, The. *Cann* —2F **11**
Firtree Clo. *Tam* —2D **24**
Fisher St. *Cann* —2E **7**
Fishley La. *Wals* —6C **18**
Fitchetts Bank. *Burn* —6G **15**
Flaxley Rd. *Rug* —6C **4**
Flinn Clo. *Lich* —5F **23**
Flora Clo. *Tam* —2H **25**
Florence St. *Cann* —3F **7**
Florendine St. *Amin* —4C **26**
Fontenaye Rd. *Tam* —1E **25**
Ford La. *Lich* —2G **15**
Forest Way. *Wals* —5F **17**
Forge Clo. *Hamm* —1E **21**
Forge La. *Burn* —6G **15**
Forge La. *Lich* —3C **22**
Forge M. *Rug* —4E **5**
Forge Rd. *Rug* —4E **5**
Forge St. *Cann* —6H **7**
Forge, The. *Tam* —4F **25**
Forrest Av. *Cann* —4D **10**
Fortescue La. *Rug* —2D **4**
Forties. *Wiln* —4A **30**
Fossdale Rd. *Wiln* —3D **30**
Fosseway. *Lich* —6A **22**
Foster Av. *Cann* —4E **7**
Fourth Av. *Wals* —5B **20**
Foxcroft Clo. *Burn* —1B **20**
Foxes Rake. *Cann* —1D **10**
Foxfields Way. *Hunt* —3B **6**
Foxglove. *Tam* —5D **26**
Foxglove Clo. *Rug* —3B **4**
Foxglove Wlk. *Cann* —3H **7**
Foxhill Clo. *Cann* —2A **12**
Foxhill's Clo. *Burn* —1B **20**
Foxland Av. *Wals* —3F **17**
Foxwood Rd. *B'moor* —3H **31**
Francis Rd. *Lich* —2C **22**
Frank Gee Clo. *Rug* —3C **4**
Franklin Dri. *Burn* —6C **14**
Frank Rogers Wlk. *Rug* —2C **4**
Freasley La. *Wiln* —5D **30**
Freeford Gdns. *Lich* —6G **23**
Freeth Rd. *Wals* —5B **20**
Fremantle Dri. *Cann* —2B **12**
French Av. *M Oak* —2B **28**
Frenchmans Wlk. *Lich* —5E **23**
Frensham Clo. *Wals* —2D **16**
Freville Clo. *Tam* —3F **25**
Friars All. *Lich* —5D **22**
Friary Av. *Lich* —5C **22**
Friary Gdns. *Lich* —5C **22**
Friary Rd. *Lich* —5C **22**
Friary, The. *Lich* —5C **22**
Friday Acre. *Lich* —3C **22**
Frobisher Clo. *Wals* —5E **17**
Frog La. *Lich* —5D **22**
Furness. *Glas* —6A **26**
Furnivall Cres. *Lich* —3F **23**
Furst St. *Wals* —6B **20**

Gable Cft. *Lich* —6G **23**
Gaelic Rd. *Cann* —6C **6**
Gagarin. *Tam* —4E **25**
Gaiafields Rd. *Lich* —3D **22**
Gaialands Cres. *Lich* —3D **22**
Gaia La. *Lich* —4C **22**
Gaia Stowe. *Lich* —3D **22**
Gainsborough Dri. *M Oak* —3A **28**
Gainsbrook Cres. *Cann* —1C **18**
Gains La. *Cann* —4H **17**
Galena Clo. *Tam* —1E **31**
Galliers Clo. *Wiln* —6C **30**
Galway Rd. *Burn* —5B **14**
Garage Clo. *Tam* —4A **26**
Garden Dri. *Rug* —5E **5**
Garden Vw. *Rug* —3C **4**
Garrick Clo. *Lich* —2B **22**
Garrick Ri. *Burn* —5C **14**
Garrick Ri. *Rug* —6G **5**
Garrick Rd. *Cann* —6C **6**
Garrick Rd. *Lich* —2B **22**
Garrigill. *Wiln* —2D **30**
Garth, The. *Lich* —2D **22**
Gatehouse Trad. Est. *Bwnhls* —5C **20**
Gawsworth. *Tam* —2C **24**
Gayle. *Wiln* —2D **30**
Gemini Dri. *Cann* —6E **11**
George Av. *M Oak* —2B **28**
George Brealey Clo. *Rug* —5E **5**
George La. *Lich* —4E **23**
George Ryan Cen. *Bone* —2C **28**
George St. *Cann* —6H **7**
George St. *Tam* —5G **25**
Georgian Pl. *Cann* —2D **10**
Gerard. *Tam* —2D **24**
Giffords Cft. *Lich* —3C **22**
Gilbert Rd. *Lich* —2E **23**
Gilbert Wlk. Lich —2E 23
(off Gilbert Rd.)
Giles Rd. *Lich* —1C **22**
Gillway. —1G 25
Gillway La. *Tam* —1F **25**
Gilwell Rd. *Rug* —4H **9**
Girton Rd. *Cann* —4D **10**
Glade, The. *Cann* —2B **10**
Gladstone Rd. *Cann* —3A **12**
Glascote. —1C 30
Glascote Ct. *Tam* —5B **26**
Glascote La. *Wiln* —4C **30**
(in two parts)
Glascote Rd. *Tam & Glas* —5H **25**
Glasscroft Cotts. *Burn* —5G **15**
Gledhill Pk. *Lich* —6B **22**
Glen Clo. *Cann* —5D **6**
Glencoe Dri. *Cann* —6F **7**
Glendale Ct. *Wiln* —5E **31**
Glendawn Clo. *Cann* —1F **11**
Glendene Rd. *Cann* —4A **8**
Gleneagles. *Tam* —4E **27**
Glenfield. *Tam* —2H **29**
Glenhaven. *Rug* —2B **4**
Glenmore Av. *Burn* —6B **14**
Glenthorne Dri. *Wals* —3D **16**
Gloucester Clo. *Lich* —1D **22**
Gloucester Way. *Cann* —3G **11**
Glovers Clo. *Cann* —5D **8**
Glover St. *Cann* —1C **12**
Glyndebourne. *Tam* —2C **24**
Godolphin. *Tam* —3C **24**
Gofton. *Wiln* —2D **30**
Goldcrest. *Wiln* —6D **30**
Goldsborough. *Wiln* —2D **30**
Goldsmith Pl. *Tam* —2F **25**
Goldthorn Av. *Cann* —2E **11**
Goodwood Clo. *Cann* —4D **8**
Goodwood Clo. *Lich* —5F **23**
Goostry Clo. *Tam* —5A **26**
Goostry Rd. *Tam* —4A **26**
Gorseburn Way. *Rug* —2B **4**
Gorse Dri. *Cann* —5C **6**
Gorse La. *Lich* —6F **23**
Gorse La. *Rug* —6E **5**
Gorsemoor Rd. *Cann* —3H **11**
Gorse Rd. *Rug* —6E **5**
Gorseway. *Burn* —1C **20**
Gorse Way. *Hed* —2H **7**
Gorsey La. *Cann* —3A **10**
Gorsey La. *Gt Wyr* —5E **17**
Gorsey La. *Pels* —4A **18**
Gorstey Lea. *Burn* —5D **14**
Gorstey Ley. —4D 14
Gorsty Bank. *Lich* —4G **23**
Gorsy Bank Rd. *H'ley* —6C **30**
Gowland Dri. *Cann* —3A **10**
Goya Clo. *Cann* —2H **11**
Grace Moore Ct. *Cann* —6E **7**
Grainger Ct. *Cann* —2C **10**
Granary Clo. *Cann* —5G **7**
Grange Av. *Burn* —6C **14**
Grange Clo. *Tam* —3H **29**
Grange Dri. *Cann* —2E **11**
Grange La. *Lich* —1A **22**
Grange Rd. *Burn* —1B **20**
Grange Rd. *Cann* —6E **13**
Granville. *Tam* —2C **30**
Grasmere Ct. *Wals* —3C **16**
Grasmere Pl. *Cann* —5D **6**
Grassholme. *Wiln* —3D **30**
Gratley Cft. *Cann* —6B **6**
Gravel La. *Cann* —4A **6**
(in two parts)
Grayling. *Dost* —5A **30**
Gray Rd. *Cann* —4E **7**
Grayston Av. *Tam* —5B **26**
Gt. Charles St. *Wals* —6A **20**
Gt. Mead. *Tam* —2H **29**
Great Wyrley. —4D 16
Greenacre Clo. *Tam* —4E **27**
Greenacres. *Rug* —5C **4**
Greencroft. *Lich* —2C **22**
Greenfields. *Cann* —2D **10**
Greenfields Dri. *Rug* —3C **4**
Greenheart. *Tam* —5D **26**
Green Heath. —3F 7
Grn. Heath Rd. *Cann* —3F **7**
Greenhill. *Lich* —4E **23**
Greenhill Clo. *Dost* —6H **29**
Greenhough Rd. *Lich* —4B **22**
Green La. *B'moor* —4G **31**
Green La. *Burn* —3E **15**
(in two parts)
Green La. *Cann* —6D **10**
Green La. *Chor* —1D **14**
Green La. *Hamm* —4B **20**
Green La. *Rug* —2B **4**
Green La. *Wiln* —5F **31**
(in two parts)
Greenlee. *Wiln* —3D **30**
Grn. Meadows. *Cann* —3H **11**
Greens Ind. Est. *Cann* —3H **7**
Greenslade Gro. *Cann* —3H **7**
Green, The. *Amin* —4E **27**
Green, The. *Bone* —1D **28**
Green, The. *Cann* —3C **10**
Green, The. *Dord* —6F **31**
Green, The. *Rug* —6F **5**
Greenways. *Lich* —1F **15**
Greenwood Dri. *Lich* —6D **22**
Greenwood Pk. *Cann* —2G **7**
Greig Ct. *Cann* —2H **11**
Gresham Rd. *Cann* —1E **11**
Gresley. *Tam* —2C **30**
Gresley Row. *Lich* —5D **22**
(in two parts)
Greyfriars Dri. *Tam* —3D **24**
Griffin Clo. *Burn* —4H **13**
Grimley Way. *Cann* —6E **7**
Grindcobbe Gro. *Rug* —1C **4**
Grindsbrook. *Wiln* —3D **30**
Grosvenor Clo. *Lich* —6F **23**
Grove Clo. *Cann* —1C **18**
Grove La. *Pels* —5B **18**
Grove, The. *Burn* —4G **13**
Guardian Ho. *Lich* —5E **23**
Gurnard. *Dost* —5A **30**
Guys Clo. *Tam* —2E **25**

Hadrians Clo. *Two G* —3A **30**
Hagley Dri. *Rug* —3C **4**
Hagley Pk. Gdns. *Rug* —5C **4**
Hagley Rd. *Rug* —3C **4**
Haig Clo. *Cann* —5F **7**
Halford La. *Tam* —4F **25**
Halford St. *Tam* —4F **25**
Hallcourt Clo. *Cann* —4D **10**
Hallcourt Cres. *Cann* —4D **10**
Hallcourt La. *Cann* —4D **10**
Hall End. —6H 31
Hall La. *Gt Wyr* —2E **17**
Hall La. *Hamm* —2E **21**
Hall La. *Hamm & Lich* —4G **21**
Hall Mdw. *Cann* —6A **10**
Halston Rd. *Burn* —4C **14**
Haltonlea. *Wiln* —3D **30**
Hamble. *Tam* —1A **30**
Hamelin St. *Cann* —1D **10**
Hamilton Clo. *Cann* —6C **8**
Hamlet, The. *Cann* —1B **18**
Hammerwich. —3E 21
Hammerwich Rd. *Burn* —6E **15**
Hamps Clo. *Burn* —5E **15**
Hampshire Clo. *Tam* —1F **29**
Hampton Clo. *Tam* —2H **25**
Hampton Ct. *Rug* —1C **4**
Hampton Grn. *Cann* —5D **10**
Hampton St. *Cann* —5C **10**
Hanbury Rd. *Cann* —1C **18**
Hanbury Rd. *Tam* —5C **26**
Hanbury Rd. *Wals* —4H **19**
Handel Ct. *Cann* —2H **11**
Handel Wlk. *Lich* —2E **23**
Hanlith. *Wiln* —3D **30**
Hannaford Way. *Cann* —2E **11**
Hanney Hay Rd. *Burn* —2B **20**
Hanover Ct. *Tam* —2D **24**
Hanover Pl. *Cann* —2D **10**
Harcourt Ho. *Tam* —5F **25**
Hardie Av. *Rug* —5D **4**
Hardie Grn. *Cann* —1E **11**
Hardwick Ct. *Tam* —4H **25**
Harebell. *Tam* —5D **26**
Harebell Clo. *Cann* —2A **12**
Harley Clo. *Rug* —6E **5**
Harley Rd. *Rug* —2E **5**
Harney Ct. *Rug* —1C **4**
Harrison Rd. *Cann* —5D **10**
Hartlebury Clo. *Cann* —1H **11**
Hartleyburn. *Wiln* —3D **30**
Hartslade. *Lich* —6G **23**
Hartwell La. *Wals* —3F **17**
Harwell Clo. *Tam* —2H **25**
Harwood Dri. *Dost* —6G **29**
Harwood Rd. *Lich* —1D **22**
Haslemere Gro. *Cann* —4A **10**
Hastings Clo. *Wiln* —5C **30**
Hatherton Cft. *Cann* —3B **10**
Hatherton Rd. *Cann* —3A **10**
Hatherton St. *C Hay* —4B **16**
Hatton Rd. *Cann* —3A **10**
Havefield Av. *Lich* —5F **23**
Hawfinch. *Wiln* —5D **30**
Hawkesmoor Dri. *Lich* —4F **23**
Hawkesville Dri. *Cann* —2E **11**
Hawkins Clo. *Lich* —2D **22**
Hawkins Dri. *Cann* —2B **16**
Hawks Clo. *Wals* —4C **16**
Hawk's Green. —3G 11
Hawks Grn. La. *Cann* —2F **11**
(in three parts)
Hawkside. *Wiln* —3E **31**
Hawksworth. *Tam* —1C **30**
Hawkyard Ct. *Cann* —6F **7**
Hawthorn Av. *Wals* —5F **17**
Hawthorn Clo. *Lich* —4F **23**
Hawthorne Av. *Tam* —1F **25**
Hawthorne Cres. *Burn* —6B **14**

A-Z Cannock 35

Hawthorne Rd.—Lichfield Tourist Info. Cen.

Hawthorne Rd. C Hay —2D 16
Hawthorne Rd. Wim —2C 6
(nr. Cherry Tree Rd.)
Hawthorne Rd. Wim —1C 12
(nr. Sycamore Rd.)
Hawthorn Ho. Lich —5F 23
Hawthorn Way. Rug —3C 4
Hayes Vw. Lich —3B 22
Hayes Vw. Dri. Wals —2D 16
Hayes Way. Hth H —3F 11
Hayfield Hill. Rug —1A 14
Hay Gro. Bwnhls —6A 20
Hayle. Tam —2A 30
Haymoor. Lich —5G 23
Hayworth Clo. Tam —1E 25
Hayworth Rd. Lich —2E 23
Hazel Dri. Cann —4D 8
Hazelgarth. Wiln —3D 30
Hazel Gro. Lich —5E 23
Hazel La. Wals —4G 17
Hazelmere Dri. Burn —2A 20
Hazelslade. —3D 8
Hazelwood Clo. Wals —4C 16
Hazelwood Gro. Cann —4B 10
Healey. Tam —1B 30
Heart of England Way. Rug —1G 9
Heathbank Dri. Hunt —4B 6
Heather Clo. Rug —6E 5
Heather Dri. Cann —5C 6
Heather M. Cann —2F 7
Heather Rd. Cann —2F 7
Heather Valley. Hed —4A 8
Heath Gap Rd. Cann —1E 11
Heath Hayes. —3C 12
Heathland Clo. Cann —2A 12
Heathley La. Dray B —5C 28
Heath Rd. Rug —6E 5
Heath St. Cann —2F 7
Heath St. Tam —4H 25
Heath Way. Cann —2G 11
Hebden. Wiln —3E 31
Hedgerow Clo. Cann —3E 7
Hedgerows, The. Wiln —3C 30
Hedging La. Dost & Wiln —6A 30
Hedging La. Ind. Est. Wiln —6B 30
Hednesford. —5H 7
Hednesford Rd. Cann —3D 10
Hednesford Rd. Hth H —2A 12
Hednesford Rd. Nort C —5C 12
Hednesford Rd. Rug —6C 4
Hednesford Rd. Wals —3F 19
Hednesford St. Cann —3D 10
Heenan Gro. Lich —2B 22
Heligan Pl. Cann —2A 12
Helmingham. Tam —2C 24
Helston Clo. Tam —1H 25
Hemlock Pk. Cann —2G 11
Hemlock Way. Cann —2G 11
Henderson Clo. Lich —5F 23
Henley Clo. Burn —1C 20
Henley Clo. Tam —3H 25
Henley Ct. Lich —6D 22
Henley Grange. Rug —3A 4
Hereford Rd. Cann —6G 7
Hereford Way. Tam —1F 29
Heritage Ct. Lich —6F 23
Hermes Rd. Lich —3F 23
Hermitage La. Pole —2H 31
Herondale Rd. Cann —6G 7
Heron St. Rug —4E 5
Hesleden. Wiln —3E 31
Hewitt Clo. Lich —2C 22
Hewston Cft. Cann —6A 8
Hickory Ct. Cann —2H 11
High Bank. Cann —4D 10
Highcliffe Rd. Tam —2A 30
Highcroft Clo. Lich —6E 23
High Falls. Rug —5D 4
Highfield Av. Burn —5C 14
Highfield Av. Tam —4D 26
Highfield Clo. Burn —5C 14
Highfield Ct. Cann —5G 7
Highfield Gdns. Lich —6G 23
Highfield Rd. Burn —5C 14
Highfield Rd. Cann —3B 12
Highfields. —2A 20
Highfields. Burn —5C 14
Highfields Rd. Chase —2A 20
High Grange. Cann —5F 7
High Grange. Lich —2B 22
High Grn. Cann —3C 10
Highland Rd. Cann —6B 6
Highland Way. Rug —1B 4
High Mdw. Rug —5H 9
High Mt. St. Cann —4G 7
High St. Bwnhls —6A 20
High St. Cann —1E 19
High St. C Ter —4H 13
High St. Chase —1A 20
(in two parts)
High St. C Hay —4B 16
High St. Dost —6F 29
High Town. —5G 7
Hillary Crest. Rug —6D 4
Hillcrest Clo. Tam —3G 25
Hill Crest Dri. Lich —3C 22
Hillcrest Ri. Burn —2C 20
Hill La. Burn —3H 13
Hillman. Tam —1B 30
Hillside. Lich —6F 23
Hillside Clo. Hed —3F 7
Hillside Clo. Rug —6B 4
Hill St. Burn —1H 19
Hill St. Cann —6H 7
Hill St. C Hay —4B 16
Hill St. Nort C —6C 12
Hill St. Rug —4D 4
Hill Top. —6H 7
Hilltop. Rug —5E 5
Hill Top Av. Tam —1G 25
Hillway Clo. Rug —3C 4
Hilmore Way. Tam —3B 30
Hilton. —6H 21
Hilton La. Share & Ess —6A 16
Hilton La. Wals —4E 17
Hints La. Hints —4A 24
(in two parts)
Hints Rd. Hop —2A 24
Hints Rd. M Oak —1A 28
Hislop Rd. Rug —6D 4
Hobart Rd. Cann —2B 12
Hobbs Vw. Rug —6B 4
Hobs Rd. Lich —3G 23
Hobstone Hill. —3G 15
Hobstone Hill La. Lich —3F 15
Hockley. —6C 30
Hockley Rd. H'ley & Wiln —6C 30
Hodge La. Tam —4E 27
Hodnet Pl. Cann —2G 11
Hodson Way. Cann —2G 11
Holder Dri. Cann —2A 10
Holland Clo. Lich —3H 23
Hollies Av. Cann —3E 11
Hollies, The. Lich —4F 23
Holloway. Tam —5G 25
Holly Bank Vw. Rug —6B 4
Holly Clo. Tam —2G 25
Holly Gro. La. Burn —3H 13
Holly Hill Rd. Rug —5H 9
Holly La. Gt Wyr —6D 16
Holly La. Hunt —3B 6
Holly Lodge Clo. Rug —4D 4
Holly St. Cann —4E 7
Holston Clo. Cann —3C 12
Holsworth Clo. Tam —2A 30
Holt Cres. Cann —2G 11
Holwick. Wiln —3E 31
Holyoake Pl. Rug —1C 4
Holywell Ri. Lich —6F 23
Honeybourne. Tam —1A 30
Hope Dri. Nort C —1E 19
Hopley's Clo. Tam —5B 26
Hopton Mdw. Cann —3H 11
Hopwas. —3A 24
Hopwas Hill. Hop —3A 24
Hornbeam. Tam —5D 26
Hornbeam Cres. Cann —4D 8
Hornscroft. Rug —5A 4
Horse Fair. Rug —4D 4
Horseshoe Dri. Rug —3A 4
Hospital Rd. Burn —2B 20
Hospital St. Tam —4G 25
Houlbrooke Ho. Lich —4E 23
Houting. Dost —6A 30
Howard Cres. Cann —3H 7
Howdle's La. Wals —4A 20
Hoylake. Tam —5E 27
Hudson Clo. Cann —2G 11
Hudson Dri. Burn —6D 14
Hunslet Rd. Burn —4C 14
Hunter Av. Burn —5C 14
Hunter Clo. Lich —6F 23
Hunter Rd. Cann —4D 10
Huntingdon Clo. Tam —1E 29
Huntington. —3C 6
Huntington Ter. Rd. Cann —6E 7
Huntsmans Ga. Burn —4C 14
Huntsmans Ri. Cann —2B 6
Huntsmans Wlk. Rug —3B 4
Huron Clo. Cann —2G 11
Hurstbourne Clo. Rug —2B 4
(off Lansdowne Way)
Hussey Rd. Cann —1C 18
Hussey Rd. Wals —6H 19
Hutchinson Clo. Rug —2A 4
Hut Hill La. Wals —2F 17
Hyssop Clo. Cann —2G 11

Ingestre Clo. Cann —3G 11
Ingleside. Rug —3B 4
Ingram Pit La. Tam —4D 26
Iris Clo. Tam —3H 25
Ironstone Rd. Burn —3G 13
Ironstone Rd. Cann —1F 13
(in two parts)
Irving Clo. Lich —2A 22
Irwell. Tam —2B 30
Island, The. M Oak —2B 28
Ivanhoe Rd. Lich —6D 22
Ivatt. Tam —1C 30
Ivy Clo. Cann —4C 10
Ivyhouse Wlk. Wiln —5C 30
Ivy La. Rug —5H 9

Jackson Clo. Cann —2B 18
Jackson Rd. Lich —1D 22
Jacob's Hall La. Wals —5F 17
Jade Gro. Cann —2H 11
Jaguar. Tam —1B 30
James Greenway. Lich —2C 22
James Hutchens Ct. Burn —1A 20
James St. Cann —5E 7
James Warner Clo. Rug —3C 4
Jasmine Rd. Tam —5D 26
Jason Clo. Tam —4A 26
Jeffery Clo. Rug —1C 4
Jenkinstown Rd. Cann —4D 8
Jensen. Tam —1B 30
Jerome Clo. Cann —1D 18
Jerome Dri. Cann —1D 18
Jerome Rd. Cann —1C 18
Jerome Way. Burn —5C 14
Jervis Rd. H'ley —6C 30
Jesmond Clo. Cann —4D 8
Jessop Dri. Tam —4A 26
John Ball Clo. Rug —1C 4
John Dory. Dost —6A 30
Johns La. Wals —3E 17
Johnson Clo. Lich —3E 23
Johnson Clo. Rug —2C 4
Johnson Rd. Burn —4A 14
Johnson Rd. Cann —6C 6
John St. Cann —5E 7
John St. Tam —6B 26
John St. Wim —1C 12
(in two parts)
John Till Clo. Rug —3D 4
Jolly Sailor Island. Tam —5F 25
Jolly Sailor Retail Pk. Tam —6E 25
Jones' La. Burn —5G 15
Jones La. Rug —4B 4
Jones's La. Wals —5F 17
Jonkel Av. H'ley —6C 30
Jordan Clo. Lich —4C 22
Joseph Dix Dri. Rug —2C 4
Jowett. Tam —1A 30
Jubilee Clo. Gt Wyr —4E 17
Jubilee St. Rug —3C 4
Jude Wlk. Lich —2B 22
Julian Clo. Wals —3F 17
June Cres. Amin —4B 26
Juniper. Tam —5D 26
Juniper Clo. Cann —4D 8

Kean Clo. Lich —2A 22
Keats Av. Cann —5D 6
Keats Clo. Tam —1E 25
Keble Clo. Burn —5D 14
Keble Clo. Cann —4D 10
Keble Wlk. Tam —3F 25
(in two parts)
Keeling Dri. Cann —3A 10
Keeper's Clo. Burn —6B 14
Keepers Clo. Lich —5G 23
Kelly Av. Rug —6E 5
Kelvedon Way. Rug —3B 4
Kelvin Dri. Cann —1F 11
Kempton Clo. Cann —4D 8
Kempton Dri. Wals —4E 17
Kendal Ct. Cann —4A 10
Kenilworth Ct. Cann —3D 10
Kenilworth Dri. Cann —6C 6
Kenilworth Rd. Lich —6D 22
Kenilworth Rd. Tam —5B 26
Kenmore Av. Cann —3E 7
Kennedy Clo. Tam —2H 29
Kennet. Tam —2A 30
Kennet Clo. Wals —4F 19
Kensington Gdns. Cann —2B 10
Kensington Pl. Cann —3H 11
Kent Av. Tam —1E 29
Kent Pl. Cann —3B 12
Kentwell. Tam —2C 24
Kepler. Tam —2D 24
Kerria Cen. Tam —5D 26
Kerria Rd. Tam —5E 27
Kestrel. Wiln —5D 30
Kestrel Gro. Cann —3H 11
Kestrel Way. Wals —4B 16
Kettlebrook. —6G 25
Kettlebrook Rd. Tam —5H 25
Key Clo. Cann —1H 11
Keys Pk. Rd. Cann —1H 11
Keystone La. Rug —4E 5
Keystone Rd. Rug —4E 5
Kielder Clo. Cann —2B 12
Kilbye Clo. H'ley —6C 30
Kilmorie Rd. Cann —2B 10
Kiln Way. Pole —2H 31
Kimberley. Wiln —4C 30
Kimberley Way. Rug —6A 4
Kingfisher. Wiln —5D 30
Kingfisher Dri. Cann —6H 7
Kings Av. Cann —6H 7
Kings Cft. Cann —6B 8
Kingsdown Rd. Burn —3G 13
King's Hill Rd. Lich —6E 23
Kingsley Av. Cann —3H 7
Kingsley Clo. Tam —3F 25
Kingston Arc. Cann —3D 10
Kingston Clo. Tam —2H 25
King St. Burn —1A 20
King St. Rug —4E 5
King St. Tam —4G 25
Kingsway. Cann —6F 7
Kingswood Av. Cann —5B 10
Kingswood Dri. Cann —1C 18
Kingswood Dri. Wals —2F 17
Kinross Av. Cann —3E 7
Kinsall Grn. Wiln —5F 31
Kipling Av. Burn —3B 14
Kipling Ri. Tam —1E 25
Kirkland Way. M Oak —3A 28
Kirtley. Tam —1B 30
Knaves Castle Av. Wals —4A 20
Knighton Rd. Cann —1B 12
Knight Rd. Burn —3H 13
Knights Ct. Cann —2D 18
Knoll Clo. Burn —1B 20
Kurtus. Dost —5A 30

Laburnum Av. Cann —5C 10
Laburnum Av. Tam —1G 25
Laburnum Clo. Cann —5D 10
Laburnum Ct. Lich —6B 22
Laburnum Gro. Burn —6A 14
Lady Bank. Tam —5G 25
Lagonda. Tam —6A 26
Lagrange. Tam —3D 24
Lair, The. B'moor —3H 31
Lakeland Dri. Wiln —4D 30
Lakenheath Rd. Tam —2H 25
Lakeside Dri. Cann —6D 12
Lakeside Vw. Arm —4E 5
Lambert Dri. Burn —5B 14
Lambourne Clo. Gt Wyr —3E 17
Lambourne Clo. Lich —4G 23
Lamprey. Dost —5A 30
Lance Dri. Burn —3H 13
Lanchester Clo. Tam —2D 24
Landor Cres. Rug —6D 4
Landsberg. Tam —3D 24
Landywood. —4F 17
Landywood Enterprise Pk. Gt Wyr —6E 17
Landywood La. Gt Wyr —4C 16
Lanehead Wlk. Rug —2B 4
Langdale Ct. Amin —3D 26
Langdale Dri. Cann —5A 10
Langdale Grn. Cann —5B 10
Langholm Dri. Cann —2A 12
Langton Ct. Lich —3C 22
Langtree Clo. Cann —3A 12
Lanrick Gdns. Rug —2D 4
Lansbury Dri. Cann —6D 6
Lansbury Rd. Rug —6D 4
Lansdowne Cres. Tam —2A 30
Lansdowne Way. Rug —2B 4
Lapwing. Wiln —5D 30
Lapwing Clo. Wals —5B 16
Larch Clo. Lich —5G 23
Larch Rd. Rug —6E 5
Larchwood Dri. Cann —6F 7
Larkholme Clo. Rug —3A 4
Larkspur. Dost —6G 29
Larkspur Av. Burn —1B 20
Launceston Clo. Tam —1A 30
Laurel Bank. Tam —3G 25
Laurel Clo. Lich —4F 23
Laurel Dri. Burn —5D 14
Laurel Dri. Cann —6B 8
Laurels, The. Rug —5E 5
Lavender Rd. Tam —5C 26
Lawford Av. Lich —5G 23
Lawn Oaks Clo. Wals —4G 19
Lawnswood Av. Burn —1A 20
Lawnswood Clo. Cann —3A 12
Lawrence Ct. Tam —3F 25
Leacroft. —6E 11
Leacroft La. Cann —4F 11
Lea Cft. La. C'bri —1E 17
Leafdown Clo. Cann —6A 8
Leafenden Av. Burn —6B 14
Lea Hall Bus. Pk. Rug —6G 5
Lea Hall Dri. C Ter —3G 13
Lea Hall La. Rug —6B 4
Lea La. Wals —3F 17
Leam Dri. Burn —5E 15
Leamington Clo. Cann —4B 10
Leamonsley. —5B 22
Leander Clo. Burn —3G 13
Leander Clo. Wals —5E 17
Leasowe Rd. Rug —6A 4
Leasowe, The. Lich —3C 22
Leathermill La. Rug —3E 5
Lebanon Gro. Burn —4A 14
Leedham Av. Tam —4A 26
Lees Clo. Rug —6B 4
Lee Wlk. Cann —6G 7
Legion Clo. Cann —6D 12
Leigh Av. Burn —5C 14
Leighswood Clo. Cann —1C 18
Leisure Wlk. Wiln —5C 30
Leomansley Clo. Lich —5B 22
Leomansley Ct. Lich —5A 22
Leomansley Rd. Lich —5B 22
Leomansley Vw. Lich —5A 22
Levels Ind. Est., The. Rug —6A 4
Levels, The. Rug —6A 4
Leveson Av. Wals —4D 16
Levett Rd. Tam —4E 27
Levetts Fields. Lich —5E 23
Levetts Hollow. Cann —1A 12
Levett's Sq. Lich —5D 22
Lewis Clo. Lich —5G 23
Leyfields. —2F 25
Leyfields. Lich —2D 22
Leyland Dri. Rug —2D 4
Leyland Rd. Tam —6B 26
Leys, The. —4F 25
Liberty Rd. H'ley —6C 30
Libra Clo. Tam —2E 25
Lichen Clo. Hunt —4B 6
Lichfield. —5D 22
Lichfield Bus. Cen. Lich —3F 23
Lichfield Cathedral. —4D 22
Lichfield Cres. Hop —2A 24
Lichfield Heritage Exhibition. —4D 22
Lichfield Ind. Est. Tam —3D 24
Lichfield Rd. Bwnhls —6A 20
Lichfield Rd. Burn —6E 15
Lichfield Rd. Cann —3D 10
Lichfield Rd. Hop & Tam —2A 24
Lichfield Rd. Ind. Est. Tam —2D 24
(in three parts)
Lichfield St. Faz —2D 28
Lichfield St. Rug —4E 5
Lichfield St. Tam —4F 25
Lichfield Tourist Info. Cen. —5D 22

Oaklands Ind. Est.—St James Wlk.

Oaklands Ind. Est. Cann —1G 11
Oaklands, The. Rug —3B 4
Oak La. Burn —3A 14
Oakleigh Dri. Rug —6G 5
Oakley Clo. Lich —2D 22
Oakley Copse. Rug —5A 4
Oaks Dri. Cann —3B 10
Oaktree Rd. Rug —6E 5
Oak Tree Wlk. Tam —2D 24
Oakwood. Rug —3A 4
Oakwoods. Cann —4C 10
Oatfield Clo. Burn —2B 20
Odiham Clo. Tam —1H 25
Odin Clo. Cann —5F 7
Offadrive. Tam —4G 25
Offa St. Tam —4G 25
Ogley Cres. Wals —6B 20
Ogley Hay Rd. Bwnhls —4B 20
Ogley Hay Rd. Burn —2B 14
Ogley Rd. Wals —6B 20
Oldbury Ct. Tam —3G 25
Old Castle Gro. Bwnhls —4A 20
Old Chancel Rd. Rug —2D 4
Old Coton La. Tam —3E 25
Old Eaton Rd. Rug —1D 4
Olde Hall La. Gt Wyr —2E 17
Oldfallow. —1C 10
Old Fallow Av. Cann —1D 10
Old Fallow Rd. Cann —1D 10
Old Falls Clo. C Hay —3C 16
Old Hall La. Cann —5G 11
Old Hedging La. Dost —6A 30
Old Hednesford Rd. Cann —2E 11
Old Mnr. Clo. Dray B —6D 28
Old Pk. Rd. Cann —5D 8
Old Penkridge M. Cann —3C 10
Old Penkridge Rd. Cann —2B 10
Old School Row. Dray B (off Drayton La.) —6D 28
Old Tamworth Rd. Amin —4D 26
Old Warstone La. Ess —6A 16
Orbital Retail Cen. Cann —6E 11
Orbital Way. Cann —6E 11
Orchard Av. Cann —2B 10
Orchard Clo. C Hay —3D 16
Orchard Clo. Dost —6H 29
Orchard Clo. Lich —3B 22
Orchard Clo. Rug —1D 4
Orchard St. Kett —6H 25
Orchard St. Tam —4G 25
Oregon Gdns. Burn —4A 14
Oriel Clo. Cann —4D 10
Orion Clo. Wals —5E 17
Orion Way. Cann —5E 7
Orkney Dri. Wiln —4C 30
Osborne. Tam —2C 24
Osprey. Wiln —5D 30
Osprey Gro. Cann —3H 11
Otterburn Clo. Cann —2B 12
Ottery. H'ley —6D 30
Over Borrowcop. Lich —6E 23
Overhill Rd. Burn —1B 20
Overland Clo. Bre —6F 5
Overpool Clo. Rug —4C 4
Overton La. Hamm —2D 20
Overwoods Rd. H'ley —6D 30
Overwoods Rd. Wiln & H'ley —5C 30
Owens Clo. Rug —3D 4
Owen Wlk. Cann —5F 7
Oxbridge Way. Tam —3C 24
Oxford Clo. Wals —3E 17
Oxford Grn. Cann —4E 11
Oxford Rd. Cann —4E 11
Oxley Clo. Wals —5E 17

Padbury La. Burn —2D 14
Paddock La. Gt Wyr —3F 17
Paddock, The. Lich —6A 22
Padstow. Amin —4C 26
Paget Clo. Lich —2D 22
Paget Dri. Burn —3H 13
Pagets Chase. Cann —6F 9
Parade, The. Bwnhls —5H 19
Parade Vw. Wals —6H 19
Parbury. Dost —6A 30
Parchments, The. Lich —3D 22
Park Av. Burn —1C 20
Park Av. Cann —1D 18
Park Clo. Bwnhls —6A 20
Park Clo. C Hay —3D 16
Park End. Lich —5G 23
Park Farm Rd. Kett —2H 29
Parkfield Av. Tam —3H 29
Parkfield Clo. Tam —3H 29
Parkfield Cres. Tam —2H 29
Park Gate Rd. Rug —4H 9
Pk. Hall Clo. Rug —1C 4
Parkhill Rd. Burn —4B 14
Park La. Bone —1D 28
Park La. Wals —3E 17
Park Rd. Burn —1C 20
Park Rd. Cann —3C 10
Park Rd. C Ter —4H 13
Park Rd. Dost —6H 29
Park Rd. Nort C —1D 18
Parkside. Wiln —2B 30
Parkside La. Cann —2A 10
Park St. Cann —6D 10
Park St. C Hay —3D 16
Park St. Tam —4F 25
Park Venture Cen. Cann —6D 10
Parkview Dri. Bwnhls —4A 20
Pk. View Ter. Rug —3C 4
Parson St. Wiln —4B 30
Partridge Clo. Hunt —3C 6
Partridge Cft. Lich —4E 23
Passfield Av. Cann —3H 7
Pasture Ga. Cann —2B 10
Patterdale Rd. Cann —6F 7
Pauls Wlk. Lich —1C 22
Pavilion, The. Tam —6E 27
Pavilion Vw. Cann —3H 7
Pavior's Rd. Burn —2H 19
Peace Clo. Wals —3D 16
Peacock Cft. Wals —4F 17
Peakes Rd. Rug —3A 4
Peartree Clo. Cann —3B 6
Pear Tree Clo. Shut —2H 27
Pear Tree La. Wals —4F 19
Pebble Clo. Tam —6E 27
Pebble Mill Clo. Cann —2E 11
Pebble Mill Dri. Cann —2E 11
Peel Clo. Dray B —6D 28
Peel Ct. Faz —3G 29
Peel Dri. Cann —2F 7
Peelers Way. Tam —6H 25
Peel Ho. Tam —5F 25
Pegasus Wlk. Tam —2E 25
Peggs Row. Burn —5F 15
Pelsall Rd. Wals —6H 19
Pembroke Clo. Tam —3D 24
Pendle Hill. Cann —6H 7
Pendrel Clo. Wals —6E 17
Penk Dri. Burn —6E 15
Penk Dri. N. Rug —2A 4
Penk Dri. S. Rug —3A 4
Penkridge Bank Rd. Rug —5A 4
Pennine Dri. Cann —2D 10
Pennine Way. Wiln —2E 31
Penny Ct. Wals —6E 17
Pennycress Grn. Cann —2C 18
Pennymoor Rd. Wiln —3E 31
Pennys Cft. Lich —3G 23
Pentire Rd. Lich —5F 23
Perry Crofts. —3H 25
Perrycrofts Cres. Tam —2H 25
Peterborough Dri. Cann —3H 11
Peterhead. Amin —4C 26
Petersfield. Cann —6E 7
Peter's La. Burn —1H 21
Peters Wlk. Lich —2C 22
Philip Gro. Cann —4D 6
Phoenix Cen. B'twn —6D 10
Phoenix Clo. Rug —3E 5
Phoenix Rd. Cann —2F 11
Picasso Clo. Cann —2A 12
Pillaton Dri. Hunt —4B 6
Pine Clo. Gt Wyr —2E 17
Pine Clo. Tam —1G 25
Pine Gro. Burn —1A 20
Pineside Av. Rug —4H 9
Pines, The. Lich —5H 23
Pine Tree Clo. Cann —1F 7
Pine Vw. Rug —1B 4
Pinewood Av. Cann —6C 6
Pinewood Clo. Bwnhls —4H 19
Pinfold La. Cann —2B 18
Pinfold La. C Hay —4B 16
Pinfold Rd. Lich —3B 22
Pingle La. Hamm —1E 21
Pingle, The. Rug —5A 4
Pipers Cft. Lich —2C 22
Plantation La. Hop & M Oak (in two parts) —3A 24
Plantation Rd. Cann —1F 7
Plant La. C Ter —5G 13
Plants Clo. Gt Wyr —6F 17
Platt St. Cann —5F 7
Ploughmans Wlk. Lich —1E 23
Plovers Ri. Rug —3C 4
Ponesfield Rd. Lich —2D 22
Ponesgreen. Lich —2D 22
Pool Av. Cann —1E 19
Pool Cotts. Burn —2H 19
Poole Cres. Wals —4F 19
Poole's Way. Burn —5D 14
Pooley La. Pole —2H 31
Pool Mdw. Clo. Rug —4C 4
Pool Rd. Burn & Bwnhls (in three parts) —2H 19
Pool Vw. Gt Wyr —2F 17
Pope Gro. Cann —4E 7
Poplar Av. Bwnhls —6B 20
Poplar Av. Burn —6A 14
Poplar Av. Cann —6E 7
Poplar La. Cann —3A 10
Poplar Rd. Bwnhls —6B 20
Poplar Rd. Gt Wyr —5E 17
Poplars, The. Cann —6D 6
Poplar St. Cann —6D 12
Portland Av. Tam —1E 25
Portland Pl. Cann —5B 10
Portleys La. Dray B —6B 28
Portobello. Rug —2D 4
Post Office La. Rug —5A 4
Pouk La. Lich —6F 21
Power Sta. Rd. Rug —2E 5
Precinct, The. Tam —4G 25
Price Av. M Oak —2C 28
Price St. Cann —3D 10
Primley Av. H'ley —6C 30
Primrose Mdw. Cann —2H 11
Prince Rupert M. Lich —4C 22
Prince Rupert's Way. Lich —4C 22
Princess Clo. Burn —5H 13
Princess St. Burn —4H 13
Princess St. Cann —5D 6
Prince St. Cann —4D 6
Priory Clo. Tam —2E 25
Priory Rd. Cann —6A 8
Priory Rd. Rug —6B 4
Progress Dri. Cann —5D 10
Progress Ind. Cen. Cann —6D 10
Prospect Dri. Brit E —4H 23
Prospect Mnr. Ct. Cann —1H 11
Prospect Pk. Cann —5C 10
Prospect Rd. Burn —6C 14
Prospect St. Tam —4F 25
Prospect Village. —6F 9
Pullman Clo. Tam —1D 30
Pump La. Rug —1B 4
Purbrook. Tam —3B 30
Purcell Av. Lich —2D 22
Pye Grn. Rd. Cann —2C 10
Pyrus Gro. Rug —6C 4

Quarry Clo. Rug —4A 4
Quarry Clo. Wals —3D 16
Quarry Hill. Wiln —4C 30
Quarry Hills La. Lich —6F 23
Queens Dri. Burn —1A 20
Queens Sq. Cann —3D 10
Queen St. Burn —1A 20
Queen St. Cann —3C 10
Queen St. C Hay —3C 16
Queen St. Hed —5F 7
Queen St. Lich —5C 22
Queen St. Rug —4E 5
Queensway. Rug —5D 4
Queensway. Tam —1F 25
Quince. Tam —6E 27
Quinton Av. Wals —2E 17
Quonian's La. Lich —4D 22

Radmore Clo. Burn —4G 13
Radnor Ri. Cann —6G 7
Railway Cotts. Rug —6A 4
Railway La. Burn —3H 13
Railway St. Cann —4D 10
Railway St. Nort C —1D 18
Railway Wlk. Cann —4E 11 (nr. Mill St.)
Railway Wlk. Cann —2D 18 (nr. Red Lion La.)
Rainscar. Wiln —4E 31
Rake Hill. Burn —4C 14
Ramillies Cres. Wals —5E 17
Ranger's Wlk. Rug —3A 4
Rangifer Rd. Faz —3E 29
Ranton Bus. Pk. Cann —2F 11
Raven Clo. Cann —6B 6
Raven Clo. Hed —6B 8
Raven Clo. Hunt —3B 6
Raven Clo. Wals —4C 16
Ravenhill Clo. Rug —6E 5
Ravenhill Ter. Rug —5E 5
Ravens Ct. Wals —6A 20
Ravenslea Rd. Rug —6E 5
Ravenstone. Wiln —3E 31
Rawnsley. —5D 8
Rawnsley Rd. Cann —3A 8
Raygill. Wiln —3E 31
Rectory Clo. Dray B —6D 28
Redbrook Clo. Cann —2A 12
Redbrook La. Rug —6A 4 (in two parts)
Redbrook La. Ind. Est. Rug —6A 4
Redcliff. Amin —4C 26
Redfern Dri. Burn —1C 20
Redhill Clo. Tam —2F 25
Redhill Rd. Cann —6D 6
Redlake. Tam —3C 30
Red Lion Av. Cann —2D 18
Red Lion Cres. Cann —2D 18
Red Lion La. Cann —2D 18
Redlock Fld. Lich —6A 22
Redmond Clo. Rug —2B 4
Redmoor Rd. Rug —1A 14
Redwell Clo. Tam —4A 26
Redwing. Wiln —5D 30
Redwing Clo. Hamm —1E 21
Redwing Dri. Cann —3B 6
Redwood Dri. Burn —4A 14
Redwood Dri. Cann —1F 11
Reedmace. Tam —1H 29
Regency Ct. Rug —6G 5
Reindeer Rd. Faz —2D 28
Relay Dri. Wiln —4F 31
Rembrandt Clo. Cann —2A 12
Remington Dri. Cann —4E 11
Rene Rd. Tam —4B 26
Repington Rd. N. Tam —4D 26
Repington Rd. S. Tam —4D 26
Repton Clo. Cann —4A 10
Reservoir Rd. Cann —6A 8
Reynolds Clo. Lich —2D 22
Ribblesdale. Wiln —4E 31
Richards Ct. Cann —6C 12
Richmond Clo. Cann —5F 7
Richmond Clo. Tam —4F 25
Richmond Dri. Lich —5F 23
Riddings, The. Amin —4B 26
Rider's Way. Rug —3A 4
Ridgeway, The. Burn —1B 20
Ridgewood Ri. Tam —4D 26
Ridings Brook Dri. Cann —2F 11
Ridings Pk. Cann —1F 11
Rigby Dri. Cann —6D 6
Righton Ho. Tam —2A 30
Riley. Tam —6B 26
Ring Rd. Burn —5G 13
Ringway. Cann —3D 10
Ringway Ind. Est. Lich —1E 23
Rise, The. Rug —6E 5
Rishworth Av. Rug —2D 4
Riverdrive. Tam —6F 25
Riverfield Gro. Tam —4A 26
Riverside Ind. Est. Faz —2G 29
Riverside Ind. Est. Rug —2E 5
Roach. Dost —5A 30
Robert Clo. Tam —2E 25
Robey's La. A'cte —1G 31
Robin Clo. Hunt —3B 6
Robinia. Tam —5D 26
Robins Clo. C Hay —5C 16
Robinson Clo. Tam —2D 24
Robinson Rd. Burn —3A 14
Robins Rd. C Ter —6G 13
Rochester Av. Burn —5B 14
Rochester Way. Cann —3H 11
Roche, The. Lich —3G 15
Rocklands Cres. Lich —3F 23
Rokholt Cres. Cann —3B 10
Roman Clo. Wals —4H 19
Roman Ct. B'twn —1D 16
Roman Ct. Wiln —4B 30
Roman Vw. Cann —1E 17
Roman Way. Lich —5F 23
Roman Way. Tam —2D 24
Romilly Clo. Lich —5G 23
Romney. Tam —3C 30
Rookery Ct. Lich —5A 22
Rosebay Mdw. Cann —2H 11
Rosebery Rd. Dost —6F 29
Rosehill. Cann —2E 7
Rose Hill Shop. Cen. Cann —2E 7
Rose La. Burn —5D 14
Rosemary Av. Wals —3C 16
Rosemary Rd. Tam —5C 26
Rosemary Rd. Wals —2C 16 (in two parts)
Rose Way. Rug —2B 4
Rosewood Clo. Tam —5A 26
Rosewood Ct. Tam —5A 26
Rosewood Pk. Wals —4C 16
Rosy Cross. Tam —4H 25
Rothay. Tam —3C 30
Rothbury Grn. Cann —2B 12
Rotten Row. Lich —5E 23
Roundhill Way. Wals —4A 20
Rowan Clo. Lich —4F 23
Rowan Ct. Cann —3D 10
Rowan Gro. Burn —5A 14
Rowan Rd. Cann —2A 10
Rowley Clo. Cann —2G 7
Rowley Clo. Rug —6F 5
Rufford. Tam —3D 24
Rugeley Eastern By-Pass. Rug —1D 4
Rugeley Rd. Arm —6H 5
Rugeley Rd. Burn —2D 14
Rugeley Rd. C Ter —5A 14
Rugeley Rd. Haz S —4C 8
Rugeley Rd. Hed —5H 7
Rumer Hill. —4D 10
Rumer Hill Bus. Est. Cann —5E 11
Rumer Hill Rd. Cann —4D 10
Rush La. Dost —6G 29
Russett Clo. Burn —6B 14
Rutherglen Clo. Rug —3B 4
Rutland Av. Rug —6C 4
Rutland Dri. Tam —2F 29
Rutland Rd. Cann —3B 12
Rydal. Wiln —4D 30
Rydal Clo. Hed —2F 7
Ryecroft Dri. Burn —4B 14
Ryecroft Shop. Cen. Burn —4B 14
Ryknild St. Lich —6G 23
Ryton. Tam —3C 30

Sadler Rd. Wals —6B 20
Sadlers Mill. Wals —6B 20
Saffron. Tam —5E 27
St Aidan's Rd. Cann —6D 6
St Andrew Clo. Cann —5D 8
St Andrews. Tam —5E 27
St Anne's Clo. Burn —2H 19
St Annes Rd. Lich —1D 22
St Anthonys Clo. Rug —4E 5
St Augustine's Rd. Rug —6D 4
St Austell Clo. Tam —3F 25
St Benedict's Rd. Burn —6C 14
St Bernards Clo. Cann —6F 9
St Catherines Rd. Lich —1D 22
St Chads Clo. Cann —6F 7
St Chad's Clo. Lich —3D 22
St Chad's Rd. Lich —3D 22
St Christopher Clo. Cann —5D 8
St Christophers Dri. Tam —2H 29
St David Clo. Cann —4D 8
St Editha's Clo. Tam —4G 25
St Edwards Grn. Rug —5D 4
St Francis Clo. Cann —5D 8
St George Dri. Cann —5D 8
St Georges Way. Tam —5B 26
St Giles Rd. Burn —6C 14
St Helens Rd. Lich —1D 22
St Ives Clo. Tam —3G 25
St James Rd. Cann —3B 10
St James Rd. Nort C —1E 19
St James Wlk. Wals —6A 20

38 A-Z Cannock

Every possible care has been taken to ensure that the information given in this publication is accurate and whilst the publishers would be grateful to learn of any errors, they regret they cannot accept any responsibility for loss thereby caused.

The representation on the maps of a road, track or footpath is no evidence of the existence of a right of way.

The Grid on this map is the National Grid taken from the Ordnance Survey mapping with the permission of the Controller of Her Majesty's Stationery Office.

Copyright of Geographers' A-Z Map Co. Ltd.

No reproduction by any method whatsoever of any part of this publication is permitted without the prior consent of the copyright owners.